Choice

編輯的口味
讀者的品味
文學的況味

SCARY STORIES 3
MORE TALES TO CHILL YOUR BONES

在黑暗中說的鬼故事 III

ALVIN SCHWARTZ | STEPHEN GAMMELL
亞文·史瓦茲 編撰 | 史蒂芬·格梅爾 插畫

林靜華 譯

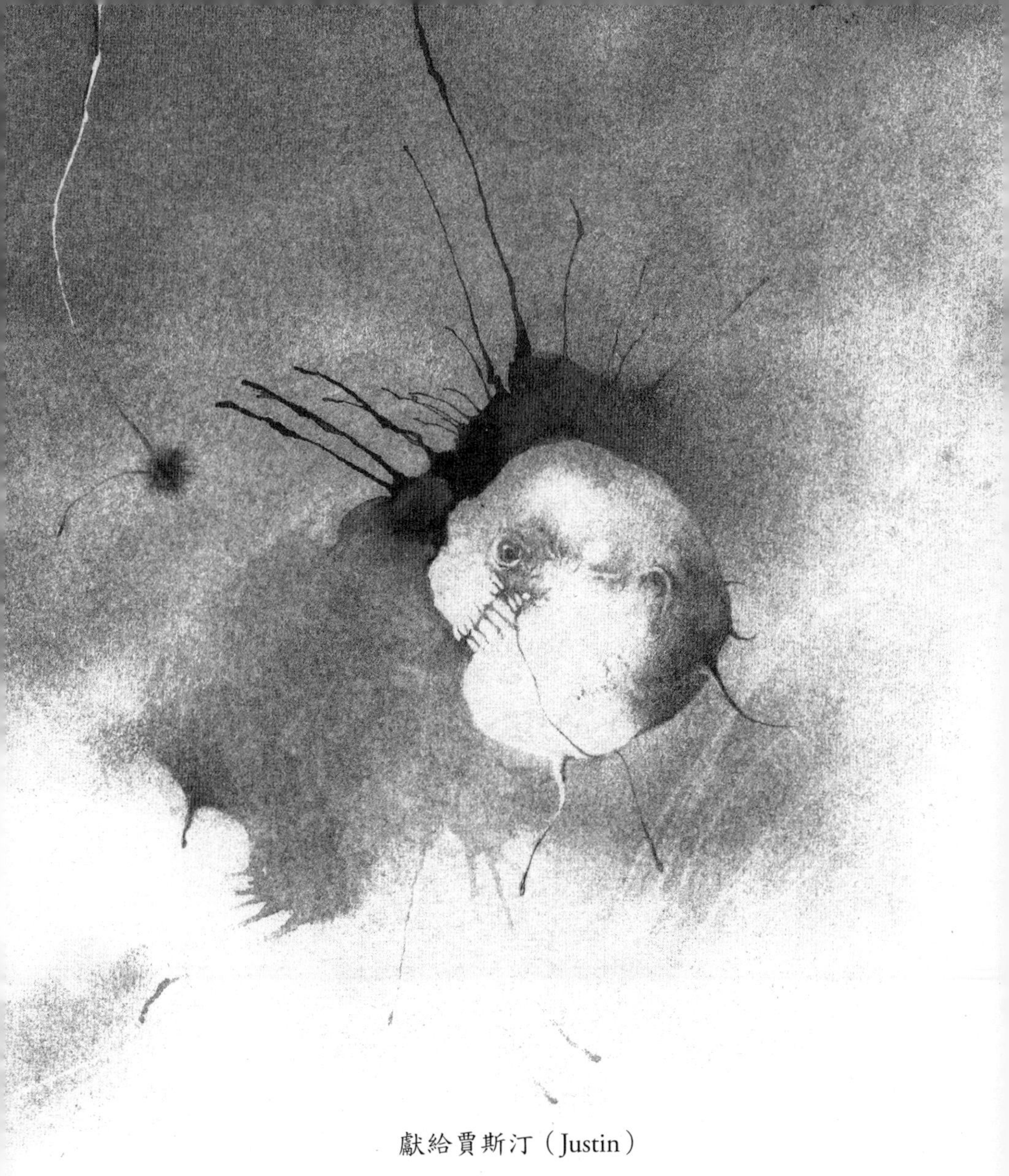

獻給賈斯汀（Justin）

CONTENTS

野化

五個惡夢

這是怎麼回事？

誰誰誰誰誰誰誰誰？

BOO MEN

妖怪

那個女孩快來不及回家吃晚飯了，於是她抄捷徑經過墓園。可是，哎呀，她好緊張。當她看到前面還有一個女孩時，她急忙追上去。

「我可以跟妳一起走嗎？」她問，「我害怕晚上經過墓園。」

「我明白，」另一個女孩說，「我活著的時候也很害怕。」

*

我們怕各種各樣的事。

我們怕死人，怕有一天我們也會像他們一樣死去。

我們怕黑暗，因為我們不知道黑暗中有什麼在等待。天黑後樹葉窸窸窣窣的聲音，或樹枝的呻吟，或有人在低聲耳語，都會讓我們惴惴不安。逼近的腳步聲也會讓我們害怕，還有，我們以為我們看到有奇怪的身影躲在陰暗的地方——也許是一個人，或一隻大型動物，或一個我們無法分辨的恐怖東西。

人們把我們以為看到的這些怪物稱作「妖怪」，說它們是我們想像出來的，但有時妖怪是真實的。

我們也會害怕奇奇怪怪的事。我們聽過小男孩或小女孩被動物撫養長大，一個長得像我們、會發出動物的嚎叫聲、用四肢奔跑的人類，想到這裡會讓我們起雞皮疙瘩。我們聽過昆蟲在人的身上產卵，或晚上作的惡夢變成真實，它們會讓我們不寒而慄。如果這類事情真的會發生，它們就有可能發生在我們身上。

因為有這樣的恐懼才會產生恐怖故事。本書是我蒐集這類恐怖故事彙編而成的第三本書。這些故事一部分是從我認識的人那裡聽來的，有的則是我從民間故事集與圖書館文獻中找出來的。我和每個人一樣，把我聽來的故事用我自己的方式說出來。

這本書中有些故事是近代的傳說，但其他都是我們很久以前就知道的民間故事。當一個人告訴另一個人時，有些細節會改變，但故事本身不會改變，會讓人害怕的依然會讓我們害怕。

起初我以為其中一個故事是現代的，就是那個標題為〈公車站〉的故事，但我後來發現兩千年前古羅馬時代就有一個相似的故事了，只不過那個故事中的女主角叫菲麗妮安，不是我們故事中的喬安娜。

本書中的故事都是真實的嗎？那篇〈麻煩〉是真實的，其餘的我就不確定了。我想其中大部分至少有一點真實性，因為有時的確會發生怪事，人們又喜歡轉述，把它們變成更好聽的故事。

現代大多數人都會說他們不相信鬼魂和古怪的事，但他們仍然害怕死人和黑暗；他們仍然看到妖怪在暗處等待。而且他們仍然愛說恐怖故事。

亞文・史瓦茲

當死神降臨時

當死神降臨時，通常是故事的結束。
但在這些故事中它正要開始。

・約會・

一個十六歲少年在他祖父的馬場工作，一天早上他開著一輛小貨車去鎮上辦事。當他走在大街上時，他看見了死神，死神向他招手。

少年盡可能以最快的速度開車回到馬場，並告訴他祖父在鎮上發生的事。

「把貨車給我，」他哀求，「我要去城裡，他在那裡就找不到我了。」他的祖父給了他貨車，少年很快地離開了。他離開後，他的祖父到鎮上去找死神。當他找到死神時，他問：「你為什麼要這樣恐嚇我的孫子？他才十六歲，那麼年輕，還不該死。」

「我很抱歉，」死神說，「我不是有意向他招手，但我看到他在那裡很驚訝。你知道，我和他約的是今天下午……在城裡。」

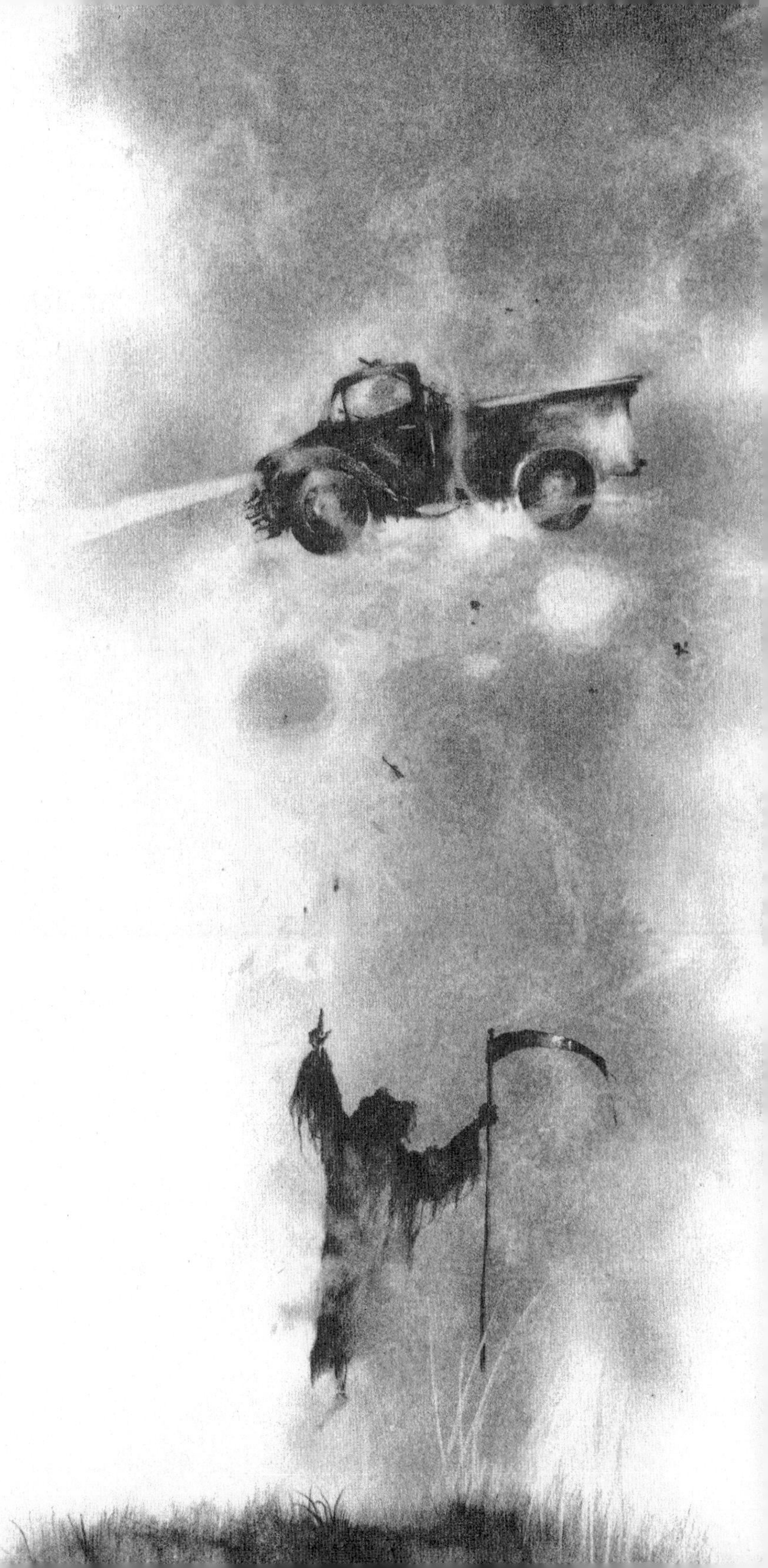

・公車站・

艾德・寇克斯下班後在滂沱大雨中開車回家，當他在等紅綠燈時，他看到一個年輕女性獨自一個人站在公車站。她沒有雨傘，全身都濕透了。

「妳要往法明頓的方向去嗎？」他大聲問。

「是的。」她說。

「妳要搭便車回去嗎？」

「好啊。」她說，然後她上車。「我叫喬安娜・芬尼，謝謝你搭救我。」

「我叫艾德・寇克斯，」他說，「妳不要客氣。」

他們一路上聊天。她告訴他她的家庭和她的工作狀況，以及她在哪裡上學。他也向她介紹他自己。等他們抵達她家時，雨已經停了。

「我很高興剛才下那陣雨，」艾德說，「明天下班後妳想不想出來？」

「我很樂意。」喬安娜說。

她請他到公車站和她見面，因為那裡離她的辦公室比較近。他們相處得很愉

BUS
STOP

快，後來又一起出去了幾次，每次都約在公車站見面後再一起離開。艾德越來越喜歡她。

但是有一天晚上他們約好一起出去時，喬安娜沒有出現。艾德在公車站等了將近一個小時。「也許出了什麼事，」他心想，於是他開車去法明頓她家找她。一個老太太出來開門。「我是艾德．寇克斯，」他說，「喬安娜也許有對妳提起過我，我和她今晚有約，我們約好在她辦公室附近的公車站見面，但她沒有出現。她沒事吧？」

老太太注視著他，彷彿他說了什麼奇怪的話。「我是喬安娜的母親，」她緩緩說道，「喬安娜現在不在這裡，你何不進來？」

艾德看到壁爐上的一張照片，他指著照片，「那個人很像她。」他說。

「是的，」她的母親回答，「但那張照片是她在你這個年齡時拍的……大約二十年前。幾天後她在雨中站在那個公車站等車，結果一輛車撞上她，把她撞死了。」

・越來越快・

山姆和他的表哥鮑伯走進森林，森林裡唯一聽到的只是樹葉窸窣的聲音，和一隻鳥兒偶爾發出的啁啾聲。「這裡好安靜。」鮑伯說。

但情況很快就改變了，幾分鐘後兩個少年開始鬼吼鬼叫，互相追逐鬧著玩。山姆躲在一棵樹後面，當鮑伯走近時，山姆就跳出來嚇他。接著鮑伯往前跑，躲在一個樹叢後面。當他低頭往下看時，發現他的腳下有一面古老的手鼓。

「山姆！看我找到了什麼，」他大聲說，「它看起來像一面小鼓，我敢說它一定有百年歷史了。」

「你看，上面有紅色的污痕，」山姆說，「我敢說那是人的血。我們離開這裡吧。」

但鮑伯忍不住要試試這面鼓。他坐在地上，將它放在他的兩腿中間。他用一隻手敲鼓，接著另一隻手，起初慢慢的，然後越來越快，幾乎停不下來。

森林中忽然傳出叫囂聲和馬蹄聲，一排樹木後面揚起一片灰塵，接著許多人騎在馬上向他們飛奔而來。

「鮑伯！我們走吧！」山姆喊道。他開始跑，「快點！」

鮑伯扔下鼓，跟在他後面跑。

山姆聽到弓箭颼的一聲飛過來，接著他聽到鮑伯的慘叫聲。山姆回頭，看到鮑伯忽然往前一撲，死了。但他的身上沒有箭，也沒有傷口。警察展開搜索，但是沒有發現有人騎在馬上，也沒有發現馬蹄的痕跡……而且也沒有鼓。

森林裡唯一聽到的只是樹葉窸窣的聲音，和一隻鳥兒偶爾發出的啁啾聲。

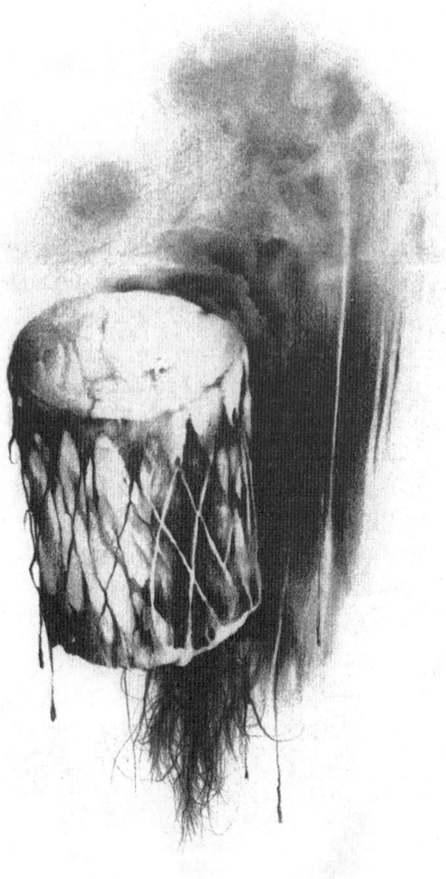

・真好吃・

喬治・弗林特喜歡吃。每天中午他的相機店都要暫時關門兩個小時，因為他要回家吃他的妻子米娜為他煮的豐盛午餐。喬治是個壞脾氣的人，米娜膽子很小，他要怎樣她就怎樣，因為她怕他。

有一天回家吃午飯途中，喬治在一間肉舖停下來買了一塊一磅重的肝。他愛吃肝。他要叫米娜把那塊肝煮了當晚餐吃。他雖然經常責罵她，但她的廚藝很好。

喬治在吃午飯時，米娜告訴他鎮上一個有錢的老太太死了，她的遺體停放在隔壁的教堂內，棺蓋還沒有封閉，任何人都可以去弔唁。一如往常，喬治對米娜說的話都沒興趣，「我必須回去上班。」他對她說。

他離開後，米娜開始煮那塊肝。她依照喬治喜愛的方式那樣，加了蔬菜和香料熬煮了一個下午。當她認為煮好了時，她切了一小塊肝嚐嚐。好吃極了，是她做過最好吃的一次。她吃了第二塊，然後第三塊，實在太好吃了，她忍不住一口接一口吃。

一直到那塊肝被她吃完了，她才想到喬治。他很快就要回家了，等他發現所有的肝都被她吃光時他會怎樣？有些男人會哈哈一笑……但喬治不會。他會很生氣，而且會對她很兇，她不想再面對那種場面。可是那麼晚了，她去哪裡再找另一塊肝呢？

這時她想到躺在隔壁教堂等著下葬的老太太……

喬治說，他沒吃過比這更美味的晚餐。「妳也來吃一點，米娜，」他說，「真好吃。」

「我不餓，」她說，「你把它吃完。」

那天晚上，喬治熟睡之後，米娜坐在床上閱讀。但她滿腦子想的都是她所做的事。然後她覺得她似乎聽到一個女人的聲音。

「誰吃了我的肝？」那個聲音問，「誰吃的？」

這是她的幻覺嗎？還是她在作夢？

現在這個聲音更近了。「誰吃了我的肝？」她問，「誰吃的？」

米娜想跑。「不，不，」她小聲說，「我沒有吃，我沒有吃妳的肝。」

現在那個聲音來到她旁邊。「誰吃了我的肝？」它問，「誰吃的？」

米娜嚇得動彈不得，她指著喬治，「他，」她說，「是他吃的！」

燈光忽然熄滅……然後喬治慘叫，慘叫……

·哈囉，凱蒂！·

湯姆·康諾斯要去隔壁村莊參加舞會，他要走很遠的路穿過原野與樹林，但這一天傍晚的天氣溫暖舒適，他又喜歡跳舞，所以他不介意長途跋涉。

他才走了一小段路，就發現有個年輕婦女跟在他後面。「她或許也要去跳舞。」他心想，於是停下來等她。當那位婦女走近時，他認出她是凱蒂·法赫蒂。他們在一起跳過好幾次。

他正想開口叫「凱蒂」時，猛

然想起凱蒂已經死了，去年去世的，但眼前的她卻打扮成要去跳舞的模樣。湯姆想跑，但逃離凱蒂似乎不妥當。於是他轉身，開始盡可能快步走，但凱蒂仍然跟著他。他走捷徑穿過原野，她仍然跟在後面。

當他抵達舞廳時，她就在他後面。舞廳外面站著許多人，湯姆混進人群想擺脫她。他擠到舞廳旁邊，背靠著牆站在一群人後面。

但凱蒂跟在後面。她靠得很近，快要碰到他了，然後她停下來等待。他想開口說「哈囉，凱蒂！」，像她活著的時候那樣，但他太害怕了，無法開口。她的眼睛直直望進他眼裡……然後她消失了。

・黑狗・

晚上十一點，彼得・羅斯伯格躺在二樓的臥室床上。他一個人住在這間老屋子裡。天氣很冷，他下樓去把暖氣開大一點。

當彼得要回他床上時，一隻黑狗從樓梯上跑下來，從他身邊經過，然後消失在黑暗中。「你是從哪裡來的啊？」彼得說。他以前不曾見過那隻狗。

他把所有的燈都打開，到每個房間去找，但都沒有看到那隻狗。他走到屋外，把他養在後院的兩隻看門狗帶進來，但牠們的舉動彷彿屋子裡只有牠們。

第二天晚上，仍然在十一點鐘的時候，彼得在他的臥室裡。他聽到樓上房間好像有狗在走動的聲音。他衝上樓，把門推開，房間是空的。他檢查床底下，檢查衣櫃，都沒有。可是當他回到他的房間時，他又聽到一隻狗跑下樓的聲音。是那隻黑狗。他想跟蹤牠，但仍然找不到牠。

從此，每天晚上十一點，彼得都會聽到那隻狗在樓上房間走動的聲音。那個房間總是空的，但是等他離開後，那隻狗就會從牠藏匿的地方出來，跑下樓，然後消失不見。

一天晚上，彼得的鄰居陪他一起等那隻狗，到了同一時間，他們聽到牠在樓上，接著聽到牠在樓梯上，等他們走出走廊時，牠站在樓梯底下抬頭望著他們。鄰居吹口哨，那隻狗搖搖尾巴，然後走了。

事情就這樣一直延續下去，直到那天晚上彼得決定把他的看門狗再帶進屋子裡。說不定這次牠們會找到那隻黑狗，然後把牠趕走。快到十一點時，他把牠們帶上樓到他的臥室，並讓臥室的門開著。

接著，他聽到那隻黑狗在樓上走動。他的兩隻狗豎起耳朵跑到門口，突然露出牠們的牙齒發出低狺，並且倒退。彼得沒有看見那隻黑狗，也沒有聽到聲音，但他確信牠已進入他的房間。他的狗開始狂吠猛撲，緊張地衝上前又再度後退。

忽然，其中一隻狗發出哀嚎，牠開始流血，接著倒在地板上，牠的脖子被撕開一個口子。一分鐘後牠死了。彼得的另一隻狗退到牆角開始嗚咽，然後一切歸於寂靜。

第二天晚上，彼得的鄰居帶了一把手槍過來，兩人又在他的臥室等待。到了十一點，那隻黑狗走到樓下，和上次一樣，牠抬頭望著他們搖尾巴。當他們拿出手槍靠近牠時，牠發出低狺，然後消失了。

那是彼得最後一次看到那隻黑狗，但這並不表示牠離開了，他偶爾還是會聽到牠在樓上走動，而且總是在十一點。有一次他聽到牠跑下樓。他雖然沒再見到牠，但他知道牠仍在。

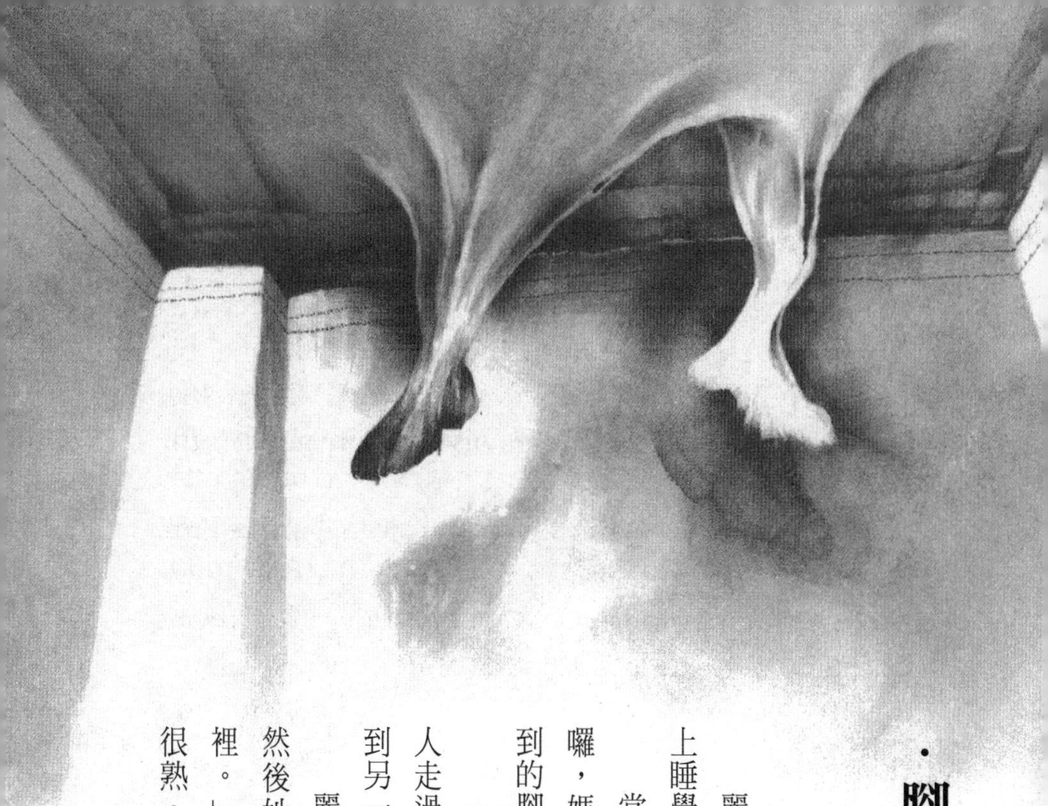

·腳步聲·

麗茲在餐廳桌上寫功課，她的妹妹莎拉在樓上睡覺。她們的母親出去了，但應該快回家了。

當前門打開又關上時，麗茲大聲說：「哈囉，媽媽！」但她的母親沒有回答，而且麗茲聽到的腳步聲比較沉重，像男人的腳步聲。

「是誰？」她喊道。沒人回答。她聽到那個人走過客廳，然後上了二樓。腳步聲從一個房間到另一個房間。

麗茲又大聲問：「是誰？」腳步聲停止了，然後她想到，「啊，我的天！莎拉在她的臥室裡。」她跑上樓到莎拉房間，但莎拉在床上睡得很熟。麗茲查看其他房間，但都沒有任何發現。

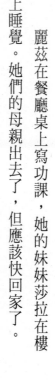

她下樓回到餐廳，心中非常害怕。

很快的，她又聽到腳步聲了。它們正在下樓，進入客廳。現在它們進入廚房，接著廚房和餐廳之間的門緩緩打開……

「出去！」麗茲大叫。門緩緩地關上了。腳步聲離開廚房，經過客廳，走向前門。前門打開又關上。

麗茲衝到窗口看那是誰，但是沒有看到任何人影。外面新下的雪地上也沒有任何腳印。

・像貓的眼睛・

吉姆．布蘭德臨終彌留之際，他的妻子讓護士陪伴他，自己到隔壁房間休息一下。她坐在黑暗中凝望夜色，忽然看見車頭燈沿著車道快速接近。

「噢，不，」她心想，「我現在不希望有訪客，現在不要。」但那不是一輛載運訪客的車，那是一輛靈柩車，有大約六個小人掛在靈車四周。至少看起來是如此。

靈柩車吱的一聲停下來，幾個小人跳下來注視著她。他們的眼睛散發出柔和的黃光，像貓的眼睛。她驚駭地看著他們進入屋內後消失了。

一會兒後他們又出現，抬著一個東西放在靈車上，然後上車高速離去，輪胎發出尖銳的摩擦聲，車道上的碎石子四處飛散。

這時護士進來告訴她，吉姆．布蘭德先生去世了。

危險邊緣

你會說，這些故事不可能發生。
但有些人說，它們確實發生過。

‧貝絲‧

約翰‧尼古拉斯養馬。他養了許多不同種的馬，但他最心愛的是貝絲，一匹年老的、陪他一起長大的溫柔母馬。他不再騎牠了，因為牠現在只能慢慢地走。貝絲大部分時間都在草地上安詳地吃草。

那年夏天，為了好玩，約翰‧尼古拉斯走進一個算命師的小房間。算命師仔細研究她手上的牌，「我看到你有危險，」她說，「你最心愛的馬會害死你。我不知道什麼時候，但它會發生，它顯示在牌上。」

約翰‧尼古拉斯哈哈大笑，貝絲會害死他簡直是胡說八道。牠像一碗湯一樣毫無危險。但從那以後，他每次看見牠都會想起算命師的警告。

那年秋天，住在縣上另一個地區的一個農夫問他能不能把貝絲讓給他，他覺得這匹老馬很適合給他的孫子們騎。

「這是個好主意，」約翰說，「他們會覺得很好玩，貝絲也可以有點事做。」

事後約翰告訴他太太，「現在貝絲不會害死我了。」說完，夫妻倆哈哈大笑。

過了幾個月，他遇到那個帶走貝絲的農夫。

「我的貝絲好嗎？」他問。

「噢，牠有一陣子還不錯，」農夫說，「孩子們都喜愛牠，但牠後來生病了，我只好射殺牠結束牠的痛苦。真可惜。」

儘管如此，約翰仍然鬆了一口氣。他常想，貝絲是否會以某種奇特的方式、透過某種奇怪的意外事故害死他。現在當然是不可能了。

「我想去看牠，」約翰說，「只是想跟牠道別。牠是我最心愛的馬。」

貝絲的遺骸被放在那個人的農場一個偏僻的角落。約翰跪下來，拍拍貝絲被陽光曬得發白的頭骨。這時一條躲在頭骨內的響尾蛇將牠的毒牙朝尼古拉斯的手臂咬下去，結果他被毒死了。

・哈羅德・

當山谷中越來越炎熱時，湯瑪斯與埃佛瑞就會把他們的牛群趕到山上涼爽的綠草場吃草。他們通常會帶著他們的牛群在那裡住上兩個月，然後再把牠們帶下山。

這件工作非常輕鬆，但是，唉，實在太無聊。兩個人整天都在照料他們的牛群，晚上回到他們睡覺的小屋。他們在花園吃晚飯、幹點活，然後就去睡覺了。生活一成不變。

後來湯瑪斯想了一個點子，一切都改變了。「我們來做一個真人大小的假人吧，」他說，「一定很好玩，而且我們可以把它放在花園，嚇走那些鳥。」

「它應該長得像哈羅德。」埃佛瑞說。哈羅德是個他們兩人都討厭的農夫。他們找出一個舊麻袋，在麻袋裡面塞滿稻草做成一個假人。他們給它裝上一個和哈羅德一樣的尖鼻子和兩個小眼睛，然後給它加上黑頭髮和一道擰在一起的一字眉。他們當然也給它取名叫哈羅德。

每天早上要去草場時，他們把哈羅德綁在花園的一根竹竿上嚇唬那些鳥，晚上再把它拿進屋子裡，免得它被雨淋壞。

當他們想玩的時候，他們會跟它說話。其中一人會說：「今天的蔬菜長得好不好啊，哈羅德？」另一個人就會假裝他是哈羅德，用怪裡怪氣的聲音回答：「揮－常慢。」然後兩人哈哈大笑，但哈羅德不會笑。

當事情不太順利時，他們會拿哈羅德出氣。他們會用髒話罵它，甚至踢它或揍它。有時其中一人會用他們吃的食物（他們都吃膩了）抹在假人的臉上。「你喜歡這道菜嗎，哈羅德？」他會問，「哼，你最好吃下去……否則……」然後兩人就會笑得東倒西歪。

一天晚上，湯瑪斯又把食物抹在哈羅德臉上時，哈羅德嘟囔著發牢騷。

「你聽到了沒？」埃佛瑞問。

「那是哈羅德，」湯瑪斯說，「事情發生時我剛好看著它，我不敢相信。」

「它怎麼可能發牢騷？」埃佛瑞問，「它只是一袋稻草，不可能。」

「我們把它丟到火裡面，」湯瑪斯說，「就這麼辦。」

「別做傻事，」埃佛瑞說，「我們不知道這到底是怎麼回事。等我們把牛群帶下山時，我們把它留在這裡。現在暫時對它多留意些。」

於是他們讓哈羅德坐在小屋裡的一個角落，他們不再跟它說話，也不再帶它出去。假人偶爾會嘟囔一下，但僅此而已。幾天後，他們認為沒什麼好害怕的了，也許是一隻老鼠或什麼昆蟲躲在哈羅德裡面發出那些聲響。

就這樣，湯瑪斯和埃佛瑞又恢復老樣子，每天早上他們把哈羅德拿出去放在花園，每天晚上再把它帶進屋子裡。當他們想玩的時候，他們拿它開玩笑；當他們心情不好的時候，他們也像以前那樣拿它出氣。

然後，一天晚上，埃佛瑞發現一件讓他害怕的事。「哈羅德變大了。」他說。

「我也這麼覺得。」湯瑪斯說。

「也許是我們的幻覺，」埃佛瑞回答，「我們在山上待太久了。」

第二天早上他們在吃飯時，哈羅德站起來走出去。它爬到屋頂上來回小跑步，像一匹馬用牠的後腿跑步那樣。它就這樣跑了一整天和一整夜。

次日上午，哈羅德爬下屋頂，遠遠地站在草場一端。兩個人都不知道它下一步會怎樣，他們很害怕。

這一天，他們決定把牛群帶下山。當他們離開時，哈羅德已不見蹤影。他們以為他們已逃離危險，就又開始開玩笑、唱歌。可是他們才走了一、二哩路，就發

現他們忘了帶擠奶的小凳子。

兩個人誰都不想回去，但重新買小凳子要花不少錢。「沒什麼好怕的，」他們互相告訴對方，「畢竟是個假人，它還能怎樣？」

他們用抽籤來決定由誰回去，結果湯瑪斯抽到了。「我會趕上你的。」他說。於是埃佛瑞繼續往山谷走去。

當埃佛瑞走到山徑上一處地勢較高的地方時，他回頭看湯瑪斯。他沒有看到湯瑪斯，但他看到哈羅德，那個假人又站在小屋的屋頂上，並在埃佛瑞的注視下，跪下來將一張血淋淋的皮攤開在陽光下曝曬。

·死人的手·

那個村莊位在一片廣袤的沼澤邊緣，放眼望去，看到的都是潮濕的草地、一個個黑水坑，和一片又一片黑得發亮、潮濕的海綿狀泥炭地。巨大的樹木殘骸——人們稱它們為「斷株」——從爛泥巴中伸出來，枯死的枝條像扭曲的長手臂般伸向四面八方。

白天的時候，村裡的男人會去切割泥炭，運回家晾乾後當燃料出售。但是當太陽下山後，從海上吹來的風像在嘆息，又像在呻吟，這些人就會趕快離開。入夜後，奇怪的生物會占據沼澤地，有的甚至會進入村子……大家都這麼說。人人都很害怕，天黑後都不敢一個人出門。

年輕的湯姆．佩帝森是村中唯一不相信這些怪物的人。工作完畢回家途中，他會在他的朋友耳邊悄悄說：「那裡有一個！」他們會嚇一跳，拔腿就跑。湯姆總是哈哈大笑。

終於，有幾個朋友對他反擊。「如果你知道這麼多，」他們說，「何不找個

晚上回去沼澤，看到底有什麼東西。」

「我會，」湯姆說，「我每天都在那裡工作，從來沒見過任何讓我感到害怕的東西，為什麼夜晚就會不一樣？明天晚上我要帶著我的燈籠走到柳樹斷株那裡，如果我嚇得逃走，以後我就不再開你們的玩笑了。」

第二天晚上，那些人都來到湯姆．佩帝森家中看他出發。厚厚的雲層遮蔽了月亮，這是最黑的一個晚上。當他們抵達時，湯姆的母親正在苦苦哀求他不要去。

「我不會有事，」他說，「沒什麼好怕的。不要跟那些人一般見識。」

他拿起他的燈籠，哼著歌，踏上海綿狀的小路往柳樹斷枝的方向走去。

有些年輕人想知道湯姆說的是否正確，說不定他們害怕的東西根本就不存在。於是有少數幾個人跟著他，想親自去看個究竟，但他們都遠遠地跟在後面，以防他遇到麻煩。他們確信他們看到黑忽忽的形狀在移動，但湯姆的燈籠仍在晃動，他的歌聲也不時飄過來，而且什麼也沒發生。

終於，他們看到柳樹斷枝了，湯姆站在一圈燈光中東張西望。忽然，一陣風把他的燈籠吹熄了，湯姆停止歌唱，那些人在黑暗中一動也不敢動，等待可怕的事情發生。

雲層移動，月亮出來了，他們又看到湯姆，但這時候他的背部緊靠著柳樹的斷枝，兩隻手往前伸，彷彿在抵擋什麼東西。從那些人所站的地方，看似有一團黑暗的形狀包圍著他，接著雲層又遮蔽了月亮，四周又再度跟泥炭一樣黑。

等月亮又再度出現時，湯姆一隻手吊掛在柳樹的斷枝上，另一隻手往前伸，彷彿有什麼東西在拉扯他。在那些人眼中，彷彿看到一隻腐爛發霉、沒有手臂的手——一隻死人的手——抓住湯姆的手。最後，那個不知是什麼的東西將湯姆的手用力一拉，把他拉進爛泥巴中。那些人是這麼說的。

當雲層又一次遮蔽了月亮時，那些人轉身在黑暗中往村子的方向跑。他們一次又一次迷路，跌入爛泥巴和水坑，最後他們是用雙手雙腳爬回來的，但湯姆．佩帝森沒有和他們在一起。

第二天早上，村民到處搜索湯姆，但遍尋不著。最後他們放棄了，宣告他失蹤。

幾個星期之後，接近黃昏時，村民聽到哭叫聲，那是湯姆的母親。她從沼澤飛奔而來，一邊喊叫一邊揮手，當她確信村民已經看見她時，她又轉身跑回去。他們都跟在她後面。

他們在柳樹斷枝旁邊發現了湯姆．佩帝森，他在呻吟，語無倫次，彷彿已經瘋了。他不斷用一隻手指著某個只有他才能看到的東西，另一隻手則不見了，只剩下一截不斷滲出血水的不規則斷肢。他的那隻手被硬生生扯斷了。

人人都說這是那隻死人的手幹的。但沒有人真正知道。沒有人知道——除了湯姆．佩帝森，但他再也不說話了。

‧會有這種事‧

當比爾‧尼爾遜的乳牛分泌不出牛乳時，他去把獸醫找來。「這頭乳牛沒什麼問題，」獸醫說，「牠只是頑固，或者被某個女巫控制了。」比爾和獸醫都哈哈大笑。

「那個老巫婆，艾蒂‧費奇，我想她是離我們最近的一個女巫了。」獸醫說，「但現在不流行女巫了，不是嗎？」

比爾上個月才和艾蒂‧費奇發生爭執，他開車撞死了她的貓。「我真的很抱歉，艾蒂‧費奇，」他對她說，「我會送妳一隻新的貓，一樣漂亮、一樣好。」她兩眼充滿怨恨。「我從牠還是小貓時就開始養牠，」她咬牙切齒地說，「我愛牠，你會為此後悔的，比爾‧尼爾遜。」

比爾送她一隻新的貓，後來就沒有再聽到什麼消息了。

不久他的乳牛停止分泌乳汁，接下來他的舊貨車拋錨，接著他的太太跌倒摔斷了手臂。「我們碰到許多厄運。」他想。接著他又想，「也許是艾蒂‧費奇在報

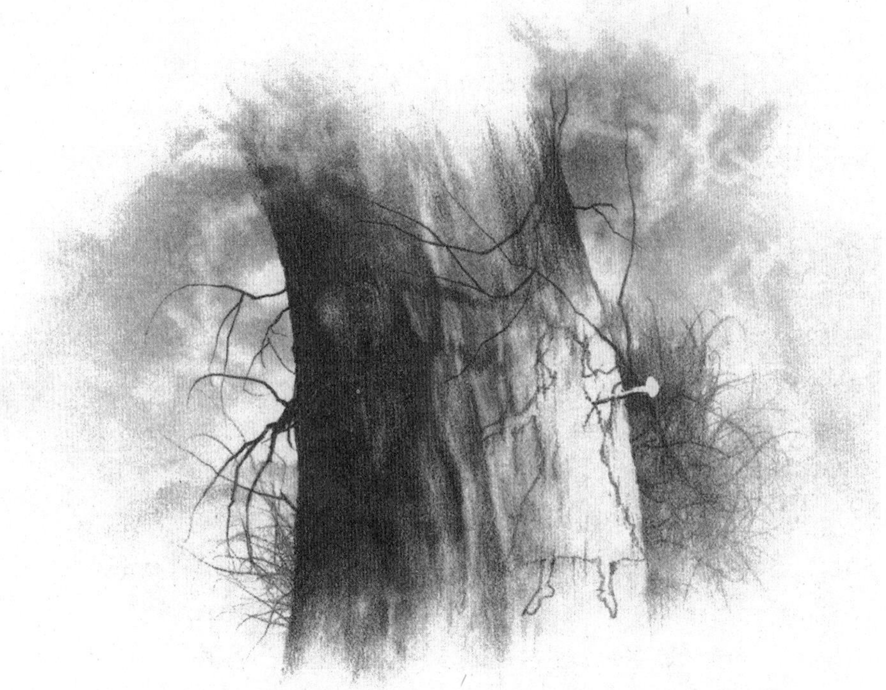

復。」然後，「嘿……你不相信女巫，你只是心煩意亂。」

但比爾的祖父相信女巫。他曾經告訴過比爾，只有一個方法可以阻止女巫搞鬼。「你去找一棵黑核桃樹，」他說，「然後你在樹幹上畫她的畫像，在她心臟的部位畫一個X，然後你在那個X上釘一根釘子，每天都把它再釘進去一點點。

「如果是她在搞鬼，」他說，「她會感到痛苦，等她再也不能忍受時，她會來找你，或者派一個人來問你借東西。如果你把她要的東西給她，釘子的魔力就破解了，她會繼續折磨你。但如果你不給她，她會停止搞鬼……或者痛苦而死。」

這是他善良、和藹可親的老祖父所相信的。「這太瘋狂了。」比爾心想。當然，他的祖父沒有接受過太多教育，比爾讀過大學，他知道的比較多。

然後比爾的狗喬，一隻非常健康的狗，就這樣突然暴斃了。這讓比爾很生氣，儘管他受過高等教育，他心想，「說不定真的是艾蒂．費奇在搞鬼。」

他從他兒子的房間拿了一枝紅色蠟筆，然後拿了一把鐵鎚和一根釘子進入樹林。他找到一棵黑核桃樹，在樹幹上畫了艾蒂．費奇的畫像。他在她的心臟部位畫了一個X，像他的祖父說的那樣，然後用鐵鎚把釘子在那個X上釘進去一點點，然後回家。

「我覺得自己像個傻瓜。」他對他的太太說。

「你是。」她說。

第二天，一個名叫提米．羅根的少年來找他。「艾蒂．費奇人不舒服，」他說，「她想問你借一點糖。」

比爾．尼爾遜驚訝地望著提米。他深吸一口氣，「告訴她我很抱歉，我現在沒有糖。」他說。

提米．羅根走了之後，比爾回到那棵核桃樹，把那根釘子再釘進去一吋。第二天，那個少年又來了。「艾蒂．費奇生病了，」他說，「她想問你有沒有糖？」

「告訴她我很抱歉，」比爾．尼爾遜說，「但我還是沒有糖。」

比爾又走進樹林，將釘子再釘進去一吋。隔天，那個少年又來了。「艾蒂．費奇的病更重了，」他說，「她真的需要一點糖。」

「告訴她我沒有糖。」比爾回答。

比爾的太太生氣了。「你必須停止，」她說，「如果這是巫術，它就等於謀殺一樣。」

「她停止我就停止。」他說。

黃昏時，他站在院子裡望著老太太住的山嶺，想知道那邊會有什麼事發生。然後，天快黑時，他看見艾蒂．費奇緩緩下山朝他這邊走來。從她那張憔悴、瘦削的臉和她身上的黑色舊外套看來，她的確像個女巫。當她走近時，比爾發現她幾乎走不動了。

「也許我真的在傷害她。」他想。他跑去拿他的鐵鎚，想去把釘子拔出來，但他還沒來得及離開，艾蒂．費奇已經在他的院子裡了，她的臉因憤怒而扭曲。

「你先是撞死我的貓，」她說，「然後你又不肯在我需要時給我一點糖。」

她咒罵他，然後就倒在他腳下，死了。

*

「她這樣突然暴斃，我一點也不感到意外，」醫生後來說，「她非常老了，也許有九十歲了，她的心臟當然會有問題。」

「有些人認為她是個女巫。」比爾說。

「我有聽說過。」醫生說。

「我認識的一個人認為艾蒂・費奇曾經對他施巫術，」比爾繼續說，「他在一棵樹上畫了她的畫像，然後釘了一根釘子讓她不再搞鬼。」

「那是個古老的迷信，」醫生說，「但我們這種人不會相信這種事的，不是嗎？」

野化

一個嬰兒被野獸偷走。由於某種原因，
這些野獸不但沒有吃她，反而哺育她。
她學會像牠們一樣嚎叫，
她學會像牠們一樣吃東西、奔跑與獵殺，
一段時間之後，她只有外表像人類。

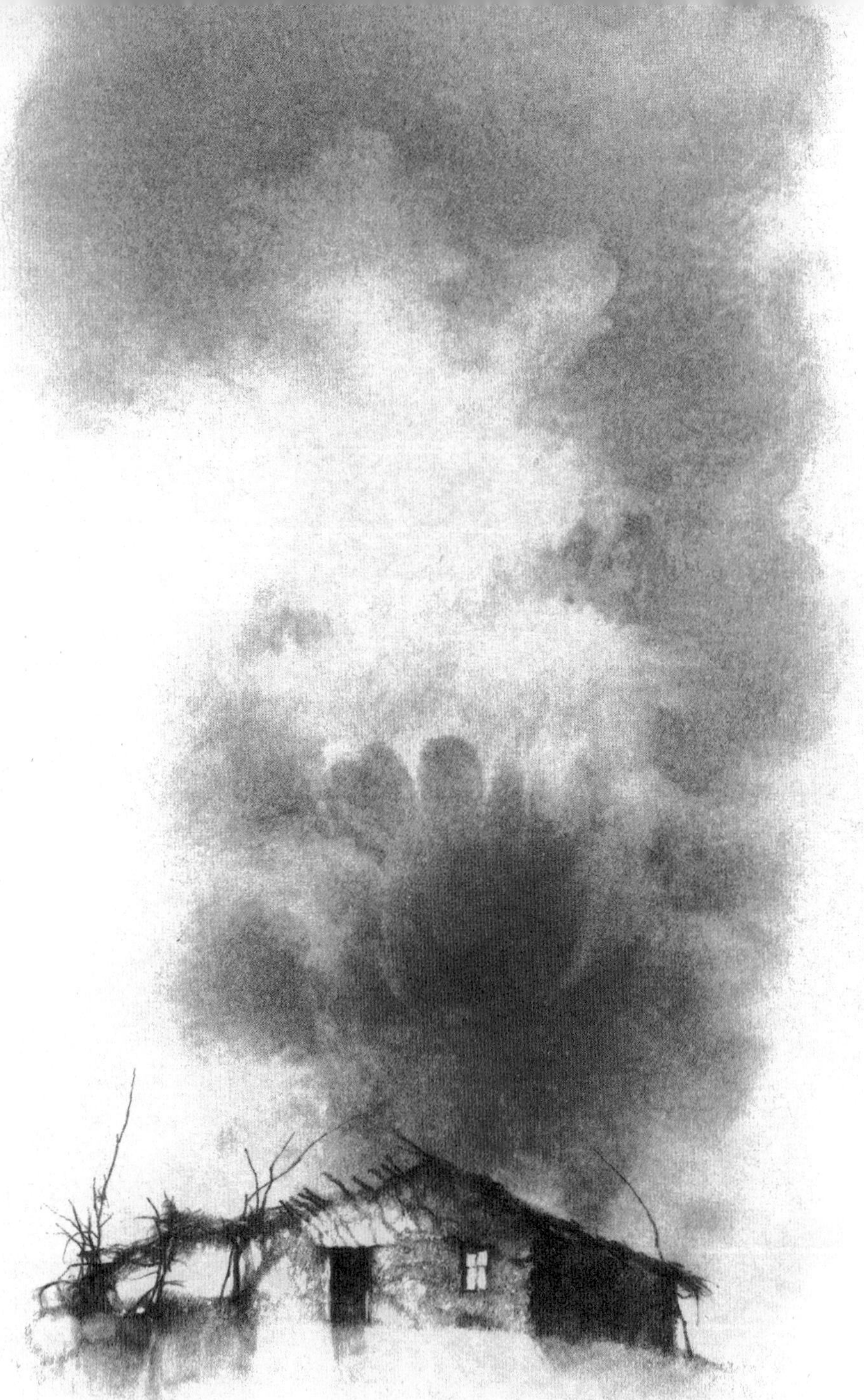

·狼女·

從德克薩斯州的德爾里奧往西北走進沙漠，你會來到魔鬼河。一八三〇年代，一個用陷阱捕獵的獵人約翰·丹特和他的妻子茉莉，在乾河流入魔鬼河的河口附近定居。丹特獵捕海狸，那一帶有很多海狸。他和茉莉砍伐灌木蓋了一間小屋，並在小屋旁邊搭建一座涼亭遮蔭。

茉莉·丹特懷孕了，當她即將生產時，約翰·丹特騎馬趕到幾哩外最近的鄰居家求助。

「我的妻子快要生了，」他對鄰居夫婦說，「你們能幫助我們嗎？」他們答應立刻出發。但就在他們準備離開時，一陣強烈的暴風雨突然來襲，而且一道閃電擊中約翰·丹特，他當場斃命。鄰居和他的妻子繼續趕往丹特的小屋，但直到第二天才找到它，那時候茉莉也已經死了。

看情形茉莉似乎在分娩之後才去世，但鄰居找不到嬰兒。由於到處都是野狼的腳印，他們認為野狼已經把嬰兒吃掉了，於是他們把茉莉·丹特埋葬了之後就離開了。

茉莉去世了幾年之後，人們開始傳述一個奇怪的故事。有些人信誓旦旦說那是千真萬確的事，有的則說這種事根本不可能發生。

*

這個故事是從距離茉莉．丹特的墳墓數十哩外的一個小殖民地開始傳出的。一天清晨，一群野狼從沙漠衝進來殺死了幾隻山羊。在那個時代，這種攻擊事件是常有的事，但有個少年認為他看到一個全身赤裸、一頭金色長髮的小女孩和那群野狼一起奔跑。

過了一、兩年，一名婦女無意中看到幾隻野狼在吃牠們殺死的一隻山羊。她說，狼群中還有一個全身赤裸、一頭金色長髮的小女孩也在吃那隻山羊。狼群和女孩看見她就逃走了。那位婦女說，起初那個女孩用四肢奔跑，然後她站起來像人類那樣跑，而且和狼群一樣快速。

人們開始懷疑這個「狼女」是否就是茉莉．丹特的女兒。難道一隻母狼在她出生當天把她帶走，連同牠的幼崽一起哺育嗎？果真如此，她現在應該有十歲或十一歲了。

就在這個故事被傳述時，有幾個男人開始去找那個女孩。他們沿著河岸、沙漠和峽谷搜索。而且據說，有一天，他們發現她在一個峽谷走動，旁邊還有一匹狼。當野狼逃走後，女孩藏匿在一個峽谷的石洞內。

那些男人試圖捉她，她反抗，像隻憤怒的野獸般又咬又抓。當他們終於制伏她時，她開始像個小女孩般發出尖叫，接著像一隻受驚的幼狼般發出嚎叫。

捕獲她的人用繩索將她綑綁放在馬背上，然後把她帶到沙漠中的一棟牧場小屋，他們決定第二天將她交給警長。他們把她放在一個空房間內，然後將她鬆綁。她非常害怕，躲在暗處。他們離開她後把門鎖上。

很快的，她又開始尖叫並發出嚎叫。那些人聽她這樣嚎叫都快瘋了，但最後她停止了。夜色降臨時，遠處的狼群開始發出狼嚎，人們說每次牠們停止，女孩就發出嚎叫回應。

如同故事所說，狼嚎聲來自四面八方，並且越來越靠近。忽然間，彷彿有人發出信號，狼群開始攻擊馬匹和其他牲畜。男人們衝進黑暗中開槍。

女孩被關的房間高處有一扇小窗，窗上釘著一塊木板。她拔掉木板，從窗子爬出去，然後消失不見了。

*

幾年過去了，人們沒有再聽到那個女孩的消息。直到有一天，幾個男人騎馬經過離魔鬼河不遠的格蘭德河的一處河灣。他們宣稱他們看到一個留金色長髮的年輕女性在哺育兩隻幼狼。

當她看見他們時，她抱起兩隻幼狼跑進灌木林。他們騎馬追她，但她很快將他們拋在後面。他們找了又找，都沒有發現她的蹤跡。那是我們最後一次聽到這個狼女的消息。這個故事也就在這裡，在沙漠，在格蘭德河附近結束了。

五個惡夢

一個畫家畫了幾幅畫，
一個男孩得到一隻新寵物，
一個女孩去度假，
一切都很正常，
然後一切都不一樣了。

・夢境・

露西・摩根是個畫家，她在一個鄉下小鎮花了一個星期的時間畫畫，決定第二天離開繼續往前走。她要去一個叫金斯頓的村莊。

但那天晚上露西作了一個奇怪的夢。她夢見她走上一道黝暗、有雕刻的樓梯，進入一間臥房。這是個普通的房間，只有兩樣東西比較特別：一是地毯是由幾個看起來像活板門的大方塊組成的；而且房間內的每一扇窗都用大釘子關得緊緊的，釘子還凸出木頭外。

在夢境中，露西・摩根進入那個臥房睡覺，入夜後，一個臉色蒼白、黑眼睛、黑長髮的女人進入房間。她在床邊對她耳語：「這裡是個邪惡的地方，趁妳還可以的時候快逃吧。」當那個女人碰觸她的手臂催她快走時，露西・摩根發出尖叫從夢中醒來。那天晚上她一直發抖，清醒到天亮。

第二天早上，她告訴她的女房東，她決定不去金斯頓了。「我無法告訴妳為什麼，」她說，「但我就是沒辦法去那裡。」

「那妳何不去多塞特?」女房東說,「那是個漂亮的小鎮,而且不會太遠。」

於是露西·摩根去多塞特。有人告訴她,她可以在山頂上的一間屋子找到一個房間。那是一間外觀令人愉悅的房屋,那裡的女房東胖胖的,像個母親那樣和善。「我們去看那個房間,」她說,「我想妳會喜歡。」

她們走上一道黝暗、有雕刻的樓梯,如同露西的夢境一樣。「這種老房子的樓梯都一個樣。」露西心想。但是等女房東打開臥室的門後,露西發現那正是她夢中的房間,一樣是看起來像活板門的地毯,一樣是釘了大釘子的窗戶。

「這只是巧合。」露西告訴自己。

「妳喜歡嗎?」女房東問。

「我不確定。」她說。

「好吧,妳慢慢來,」女房東說,「妳想一想,我去泡茶。」

露西坐在床上,凝視地上的活板門和窗上的大釘子。不久有人敲門。「房東拿茶來了。」她想。

但那不是房東,而是那個臉色蒼白、黑眼睛、黑長髮的女人。露西立刻抓起她的東西奪門而逃。

・山姆的新寵物・

山姆的父母去墨西哥度假，山姆暫時住在他祖母家。「我們會帶好東西給你，」他的母親對他說，「一個意外的驚喜。」

返家之前，山姆的父母尋找山姆會喜歡的東西，但他們只找到一頂漂亮的墨西哥寬邊帽。帽子很貴，但是那天下午他們在公園吃午餐時，決定還是去買那頂寬邊帽。山姆的父親把他吃剩的三明治扔給幾隻流浪狗後，他們就走回市場。

其中有一隻流浪狗跟著他們。那是一隻灰色的小狗，短毛、短腿、長尾巴。他們走到哪裡牠就跟到哪裡。

「牠真可愛！」山姆的母親說，「牠一定是一隻墨西哥無毛犬。山姆會喜歡牠。」

「牠也許是別人的寵物。」山姆的父親說。

他們問了幾個人知不知道牠的主人是誰，但是沒有人知道，他們只是微笑聳肩。最後，山姆的母親說：「也許牠只是一隻流浪狗，我們把牠帶回家，我們可以給牠一個舒適的家，山姆也會愛牠。」

攜帶寵物越過邊境是違法的，但山姆的父母把牠藏在箱子裡，沒有人看到。當他們回到家時，他們展示給山姆看。

「牠是一隻漂亮的小狗。」山姆說。

「牠是一隻墨西哥犬，」他的父親說，「我不確定是什麼品種，但我想牠是墨西哥無毛犬。我們再查查看。但牠很乖，不是嗎？」

他們給新寵物一些狗食，然後他們幫牠洗澡、刷毛。那天晚上牠睡在山姆床上。第二天早晨山姆醒來時，他的寵物仍在那裡。

「媽，」他大聲說，「狗感冒了。」那隻狗的眼睛流出眼屎，嘴巴四周白白的。那天早上稍後，山姆的母親把牠帶去給獸醫看。

「妳在哪裡找到牠的？」獸醫問。

「在墨西哥，」她說，「我們猜牠是一隻墨西哥無毛犬，我正想問你牠是不是呢。」

「牠不是無毛犬，」獸醫說，「牠甚至不是狗，牠是一隻下水道老鼠……而且牠有狂犬病。」

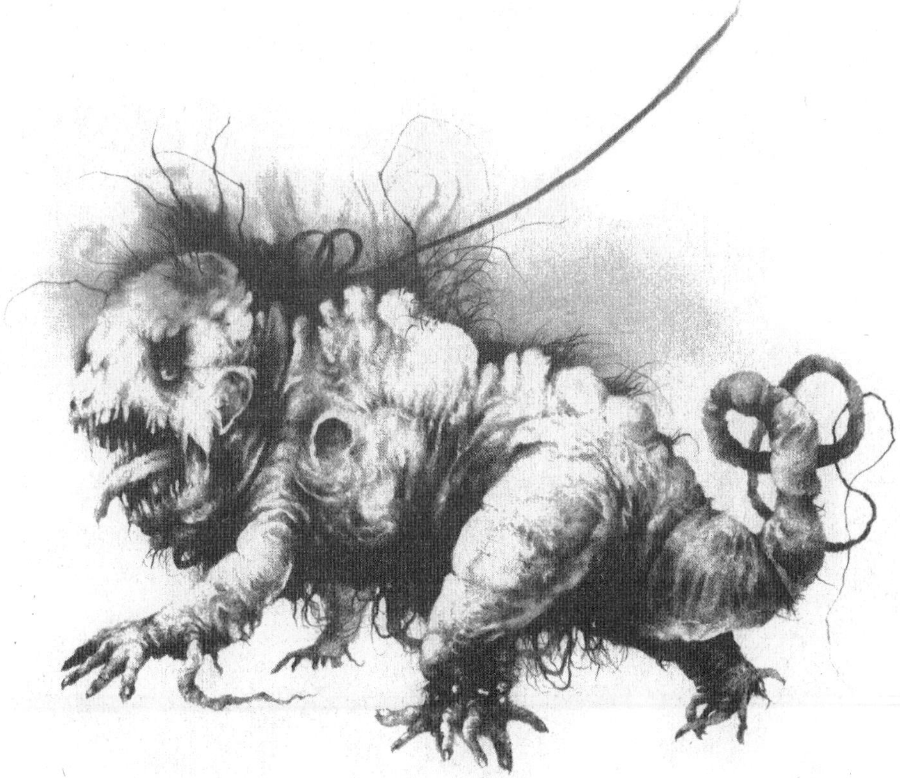

・也許妳會想起來・

吉布斯太太和她十六歲的女兒蘿絲瑪麗在七月一個炎熱的早上抵達巴黎，她們去度假，現在正要回家，但吉布斯太太身體不舒服，因此她們決定在巴黎休息幾天後再繼續上路。

城裡擠滿觀光客，但她們仍然找到一家不錯的旅館。這個漂亮的房間可以俯瞰公園，裡面有黃色的牆壁、藍色的地毯，和白色的家具。

把行李打開後，吉布斯太太就去睡了。她的臉色蒼白，蘿絲瑪麗請旅館的醫生來幫她診斷。蘿絲瑪麗不會說法語，幸好醫生會說英語。

他看了吉布斯太太一眼便說：「妳的母親病情嚴重不能旅行，明天我會把她送去醫院，但她需要先服藥。如果妳去我家拿藥，可以節省一點時間。」醫生說他家現在沒有電話，但他可以寫一張紙條讓蘿絲瑪麗帶給他的妻子。

飯店經理把蘿絲瑪麗送上計程車，用法語告訴司機如何找到醫生的家。「一會兒就到了，」他告訴她，「計程車會載妳回來。」可是那個計程車司機慢條斯理

地繞過一條街又一條街，開了很久。蘿絲瑪麗甚至確定他們已有兩次經過同一條街道。

醫生太太好像也過了很久才出來開門，然後她去準備藥。蘿絲瑪麗坐在空無一人的候診室，心裡不停地想：「妳為什麼不能快一點？拜託，快一點。」然後她聽到屋內有電話鈴聲，但醫生告訴她他家沒有電話。這是怎麼回事？

他們回去的路上就和來的時候一樣緩慢，司機慢吞吞地開上一條街，又慢吞吞地開到另一條街。蘿絲瑪麗坐在後座心急如焚，手上緊緊抓著她母親的藥。為什麼每件事都要花那麼長的時間？

她確信計程車司機走錯方向了。「你要去的是正確的旅館嗎？」她問。他沒有回答。她再問，但他仍然沒有回答。當他在一

505

個路口停下來等紅綠燈時，她推開車門跳下計程車。

她在街上攔下一名婦女，這位婦女不會說英語，但她認識會說英語的人。果然，蘿絲瑪麗猜對了，他們一直開往相反的方向。

當她終於回到旅館時，已經接近傍晚了。她上樓告訴櫃檯她們的房間號碼，「我是蘿絲瑪麗．吉布斯，」她說，「我母親和我住在五〇五房，麻煩你給我房間的鑰匙好嗎？」

櫃檯職員注視著她，「妳一定弄錯了，」他說，「那個房間已經有人住了，妳確定妳找對了旅館嗎？」說完，他轉身去協助其他客人。她一直等到他忙完。

「我們今天早上抵達這裡時，是你自己給我們那個房間的，」她說，「你怎麼可能忘記？」

他望著她，彷彿她精神有問題。「妳一定弄錯了，」他說，「我從未見過妳，妳確定妳找對了旅館嗎？」

她要求看她們抵達時填寫的住房卡，「名字是珍和蘿絲瑪麗．吉布斯。」她說。

櫃檯職員翻閱資料，「我們的住房卡上沒有妳的名字，」他說，「妳一定記錯旅館了。」

「旅館醫生知道我，」蘿絲瑪麗回答，「我們抵達時他來幫我的母親診斷，他還派我去拿她要吃的藥。我要見他。」

醫生下樓。「這是我母親的藥，」蘿絲瑪麗說著，把藥給他，「你太太給我的。」

「我沒見過妳，」他說，「妳一定找錯旅館了。」

她要求見那個把她送上計程車的旅館經理，他會記得她。「妳一定記錯旅館了，」他說，「這樣吧，我給妳一個房間讓妳休息，也許妳會想起妳和妳母親住在哪一家旅館。」

「我要看我們的房間！」蘿絲瑪麗大聲說，「五〇五房。」

但那個房間和她記憶中的房間完全不同。它有一張雙人床，不是兩張單人床；它的家具是黑色的，不是白色；它的地毯是綠色的，不是藍色；衣櫥裡掛著別人的衣服。她認識的那個房間不見了，她的母親也不見了。

「這不是那個房間，」她說，「我的母親在哪裡？你們把她怎麼了？」

「妳跑錯旅館了，」經理耐心地說，彷彿在對小孩子說話。

蘿絲瑪麗要求見警察，「我的母親，我們的行李，那個房間，統統不見了。」她告訴警察。

「妳確定妳找對了旅館嗎？」他們問。

於是她去向大使館求助。「妳確定那個旅館是對的嗎？」他們問。

蘿絲瑪麗以為她瘋了。

「妳何不在這裡休息一會兒，」他們說，「也許妳會想起來……」

*

但蘿絲瑪麗的問題不在於她的記憶，而是一件她不知道的事。（詳情後面第一二〇頁揭曉）

‧紅點‧

露絲在睡覺時，一隻蜘蛛爬過她的臉。牠在她的左臉頰上停留了幾分鐘，然後就走了。

「我臉頰上那個紅點是什麼？」第二天早上她問她的母親。

「看起來像蜘蛛咬的。」她的母親說，「它自己會消，不要抓它。」

很快的，紅點長成一個紅色的小膿瘡，「妳看，」露絲說，「它越來越大，這是瘡。」

「有時會這樣，」她的母親說，「還會長在頭上。」

幾天後，膿瘡越來越大，「妳看，」露絲說，「它會痛，而且好醜。」

「我們請醫生來看一下，」她的母親說，「也許是被感染了。」但醫生要等到第二天才能來看露絲。

那天晚上，露絲泡熱水澡時，膿瘡破了，一群小蜘蛛從她的臉頰上破卵而出……

·不，謝了·

每個星期四晚上，吉姆在公路上的一家購物中心當倉庫管理員，到了八點半，他通常會把事情做完然後開車回家。

但那天晚上吉姆是最後幾個離開的人之一。等他走到巨大的停車場時，那裡幾乎空蕩蕩的，只聽得到遠處的車聲和他的腳步聲。

一個人忽然從暗處出現。「喂，先生，」他用低沉的聲音叫他，伸出他的右手，手掌上有一把細長的小刀。

吉姆停下來。

「漂亮又銳利的小刀。」那個人輕聲說。

「不要驚慌。」吉姆心想。

那個人走向他。

「不要跑。」吉姆告訴自己。

「漂亮又銳利的小刀。」那個人又說一遍。

「他要什麼就給他。」吉姆心想。

那個人越走越近。他舉起小刀，「好切又方便，」他緩緩說道。吉姆等待。

那個人斜眼看他，「嘿，老兄，才三塊錢欸，兩把五塊，送給你母親的好禮物。」

「不，謝了，」吉姆說，「她已經有一把了。」然後拔腿奔向他的車。

這是怎麼回事？

當瓶蓋自己爆開，家具在屋子裡飛來飛去，
通常會有許多解釋。但沒有一個是正確的。
然後有人提出一個可怕的答案，
這個答案可能和你有關。

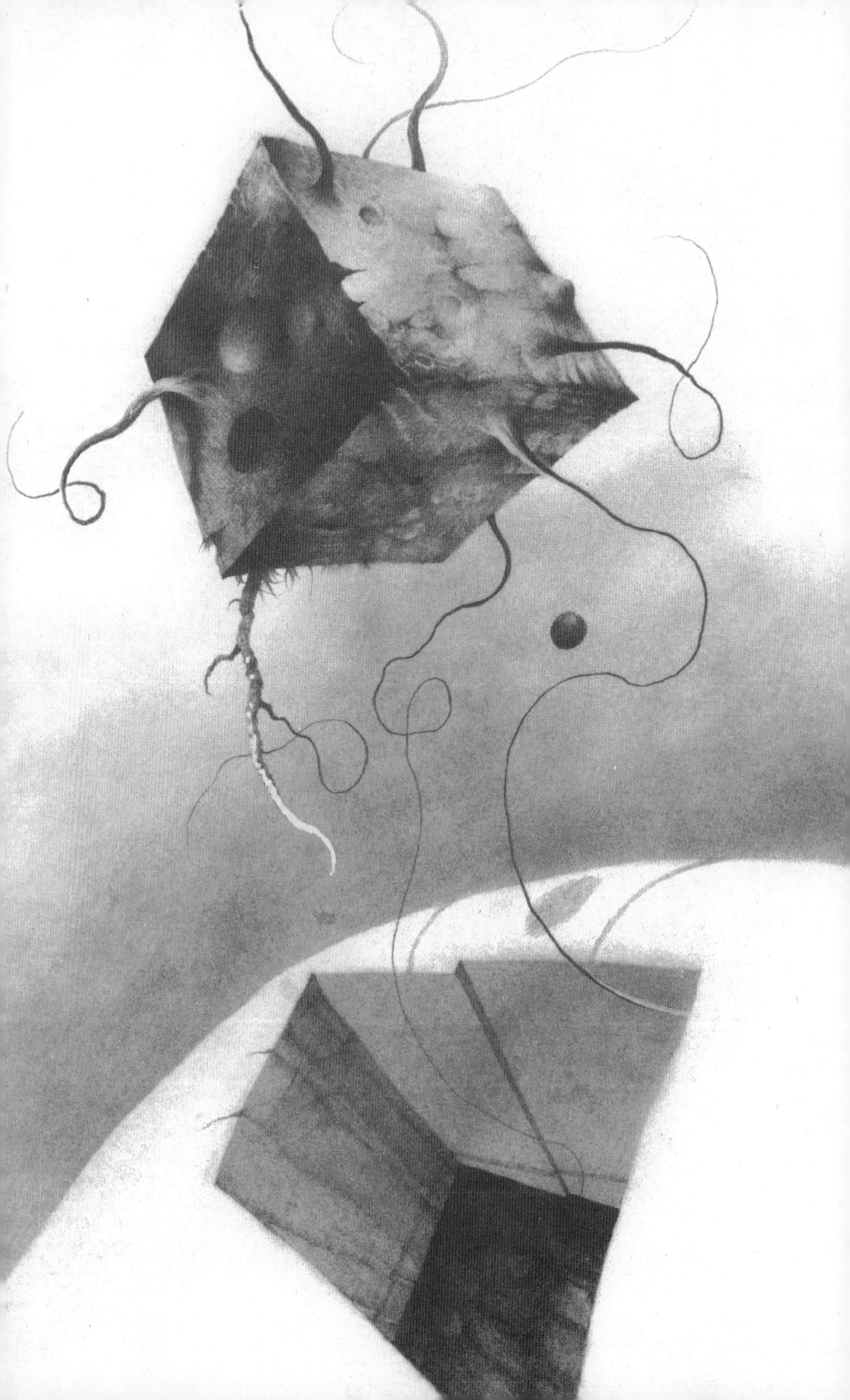

・麻煩・

這是發生在一九五八年的故事，故事中的事件發生在紐約市郊一間白色的小屋，故事中的人物名字都已更改過。

＊

二月三日，星期一。湯姆．倫巴度和他的姐姐南西剛放學回家。湯姆快要十三歲了，南西十四歲。他們和他們的母親在客廳談話時，忽然聽到從廚房傳出啪！的一聲巨響，聽起來很像從香檳酒瓶拔出軟木塞的聲音。

但它不是。一個澱粉瓶子的蓋子不知怎麼地爆開了，瓶子倒下，澱粉撒了一地。接著屋內各個角落的瓶蓋開始紛紛爆開——指甲油的蓋子、洗髮精、漂白水、擦拭用酒精，甚至一個裝聖水的瓶子。

每個瓶子都有一個旋扭蓋，必須轉兩、三下才能打開，但每一個瓶蓋都自己打開——沒有任何人力幫忙——然後倒下去灑了一地。

「這是怎麼回事？」倫巴度太太問。沒有人知道。但爆裂聲很快就停止了，一切恢復正常。這只是一樁怪事，他們心想，然後就把它忘了。

二月六日，星期四。就在湯姆和南西放學回家後，又有六個瓶子的蓋子自己爆開了。第二天，大約同一時間，另外六個瓶子的蓋子也爆開。

二月九日，星期日。那天早上十一點，湯姆在浴室刷牙，他的父親站在門口和他說話。忽然間，一瓶藥開始自己移動，從浴室櫥櫃掉下來落在水槽內。同時一瓶洗髮精自己移到櫥櫃邊緣，然後掉在地板上。父子兩人看得目瞪口呆。

「我最好報警。」倫巴度先生說。那天下午，一個巡邏警察到他家訪問時，浴室的瓶蓋紛紛爆開。警方於是派了一位名叫約瑟夫·布里格的警探去調查這個案子。

布里格警探是個務實的人，當有什麼東西移動時，他認為一定是人為或動物使它移動，或者是震動、風吹，或其他自然因素造成的。他不相信鬼。

當倫巴度一家人說他們與這些事無關時，他認為其中至少有一個人說謊。他要檢查這間屋子，然後他要和一些專家討論，看他們有什麼意見。

二月十一日，星期二。一週前自己爆開的那一瓶聖水又再度爆開，聖水灑了一地。兩天後它又爆了一次。

二月十五日，星期六。湯姆、南西和一個親戚正在客廳看電視時，一個小瓷娃娃從桌面升起來，在空中飛了三呎後掉在地毯上。

二月十七日，星期一。一位神父來為房子祈福，保佑它不受任何邪靈侵擾。

二月二十日，星期四。當湯姆在餐廳桌上寫功課時，桌上另一頭有個糖罐飛進客廳砸破了。布里格警探親眼看到這一幕。稍後，桌上有一瓶墨水也飛到牆上打破了，墨水濺得到處都是。接著，另一個瓷娃娃也飛起來。它飛了十二呎後掉在書桌上碎了。

二月二十一日，星期五。為了獲得一些寧靜，倫巴度全家去親戚家度週末。當他們不在家時，家裡一切都很正常。

二月二十三日，星期日。倫巴度一家人度假回來，另一個糖罐又飛起來。它飛去撞牆，然後砸個粉碎。稍後，湯姆房間內一個沉重的五斗櫃倒下來，但事情發生時沒有人在房間內。

二月二十四日，星期一。截至目前為止，布里格警探已請教過幾位工程師、化學家、物理學家和其他一些人，有的認為是屋子震動造成的。他們說，屋子震動可能來自地下水，或高頻無線電波，或飛機引發的音爆。有的說原因來自電力系統，或從煙囪倒灌進來的風。瓶蓋爆開則歸咎於瓶子內的化學物品。

但檢測結果顯示屋子裡沒有震動；電力系統也沒有問題；瓶子裡面也沒有會導致爆裂的化學物品。

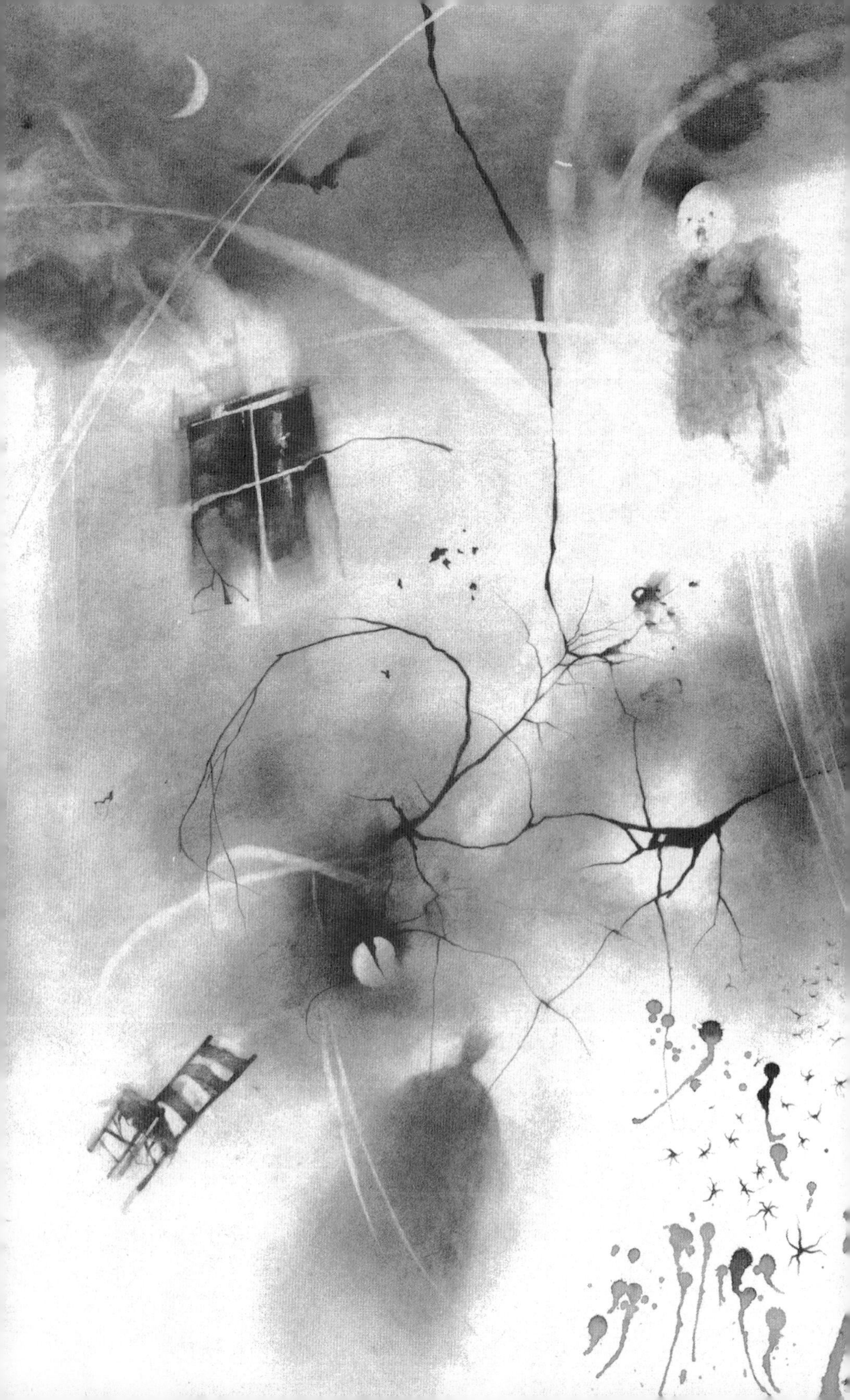

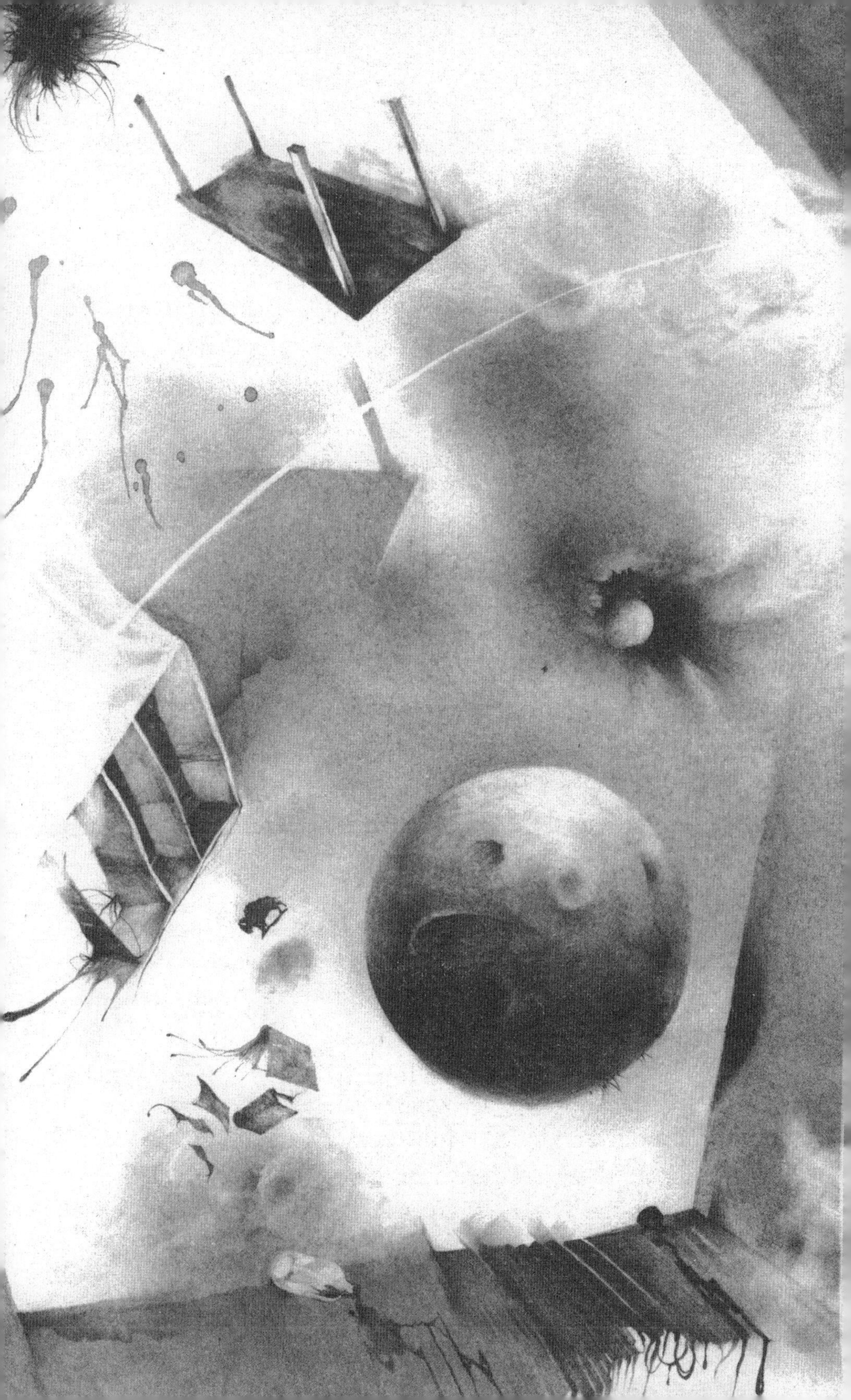

那麼，是什麼造成這些問題？沒有一個專家知道。但倫巴度家每天都會收到幾十封信，那些人都自稱他們知道原因。許多人認為這間屋子鬧鬼，裡面有一個不受管制的搗蛋鬼——這個會吵鬧的搗蛋鬼使那些東西自己在屋子裡到處移動。

沒有人曾經證明搗蛋鬼確實存在，但數百年來到處都有人傳說它們的故事，這些故事和倫巴度家發生的怪事都差不多。

布里格警探當然不相信有搗蛋鬼。他開始認為問題可能出在湯姆．倫巴度身上，因為每次事情發生時，湯姆通常在那個房間內或在它附近。他指控湯姆製造麻煩，但湯姆否認。「我不知道這是怎麼回事，」他說，「我只知道它嚇到我了。」

人們說布里格警探是個硬漢，假如他的母親做錯事他也會去舉發她。但他相信湯姆，只不過他現在也無計可施。

二月二十五日，星期二。一個新聞記者來採訪這個家庭，訪問完後他獨自坐在客廳，希望親眼見到怪事發生，他就可以寫在他的文章中。

湯姆的房間在記者坐的客廳對面，少年已經上床睡覺了，但他的門是開的。忽然間，一個地球儀從那個沒有燈光的房間飛出來砸在牆上。記者衝入臥房開燈，湯姆坐在床上眨眼睛，彷彿剛從熟睡中驚醒。「什麼事？」他問。

二月二十六日，星期三。早上，一尊塑膠製的聖母瑪麗亞小雕像從倫巴度夫婦臥房內的梳妝檯飛起來砸在鏡子上。那天晚上，湯姆在寫作業時，一台十磅重的電唱機從桌上飛起來，移動了十五呎後掉在地板上。

二月二十八日，星期五。兩位科學家從北卡羅萊納的杜克大學來到倫巴度家。他們是超心理學家，專門研究倫巴度家發生的這類經驗。他們與這家人交談了好幾天並檢測房屋，試圖了解這是怎麼回事，以及是什麼原因造成的。一天晚上，一瓶漂白水的蓋子又自己爆開了，但在他們訪問期間只發生這樁怪事。

他們沒有告訴倫巴度一家人，他們正在研究可能真的有搗蛋鬼涉及這類怪事的理論。根據這個理論，搗蛋鬼不是鬼。他們是一般的青少年。他們被問題所困擾，導致情緒累積成一種振動。由於是從他們的潛意識發生的，他們自己並不知道，但這些振動有時會離開他們的身體，遇到任何東西就會使它們移動。它會一再發生，直到問題解決為止。

科學家為這種奇怪的力量取了個名字，叫「念力」，以意志力移動物體的能力，又叫「以心移物」。沒有人知道它是否真的可能發生，或如何去證明它。但大多數搗蛋鬼的報告確實都和有青春期子女的家庭有關，而倫巴度家就有兩個青少年。

三月三日，星期一。兩位超心理學家說他們會寫一篇調查報告。他們離開那天，麻煩又回來復仇了。

三月四日，星期二。下午，一盆鮮花從餐廳桌上飛起來砸在一座碗櫥上。接著，一瓶漂白水從紙箱中跳出來，瓶蓋爆開。接著，一座塞滿百科全書的書櫃倒下來，卡在暖氣爐和牆壁中間。接著，一支放在桌上的手電筒自動上升，飛了十二呎之後砸在牆上。最後，他們聽到廚房傳來敲四下的聲音，但裡面沒人。

三月五日，星期三。倫巴度太太正在準備早餐，聽到客廳傳來一聲巨響。咖啡桌自己翻倒了。這是最後一樁怪事。歷經一個月的混亂後，一切又復歸正常。

＊

到了八月，兩位超心理學家提出報告。他們認為倫巴度家人並未捏造故事，也沒有產生幻覺，他們的麻煩是真有其事，但這是什麼造成的呢？

他們說，這件事不是開玩笑或惡作劇，也不是任何魔法。如同警方的調查，他們也排除來自地下水和其他物理因素造成的震動。

唯一的解釋是，他們無法排除一個正處於青春期的搗蛋鬼涉入其中，用念力移動物體。他們沒有足夠的證據可以證明，但這是他們的唯一答案。

假如是搗蛋鬼，他們認為那是湯姆。如果他們的推理是正確的，如果一個像湯姆這樣的正常少年會變成一個搗蛋鬼，那麼這種現象也可能發生在其他青少年身上，甚至可能發生在你身上。

誰誰誰誰誰誰誰誰？

這一篇有四個鬼，

一個幽靈般的怪物，和一具屍體。

但它們的故事是有趣的，不會恐怖。

・陌生人・

一個男人和一個女人在一列火車上碰巧坐在一起，女人拿出一本書開始閱讀。火車經過六站後停下來，但她始終沒有抬頭。

男人看著她，一會兒後問道：「妳在讀什麼？」

「這是一篇鬼故事，」她說，「很好看，非常恐怖。」

「妳相信鬼嗎？」他問。

「是的，我相信。」她回答，「到處都有鬼。」

「我不相信鬼，」他說，「那只是迷信，我這輩子不曾遇到過鬼，一個也沒有。」

「是嗎？」女人說……然後就消失了。

・豬・

亞瑟和安妮讀高中時，兩人互相愛慕對方。他們都很高大、很胖、很開朗，似乎是天造地設的一對，但有時事情的發展並不如人意。

亞瑟搬家，娶了別人，但安妮沒有和任何人結婚。幾年之後，她生病去世了。有些人說她是心碎而死。

一天，亞瑟開車到一個小鎮，這裡離他和安妮成長的地方不遠。不久，他發現有一隻豬跟著他，無論他車子開得多快，那隻豬始終緊跟在後面。他每次往後看都會看到那隻豬。他開始生氣了。

最後，他再也忍不住了。他停車，在豬的鼻子上用力打了一拳。「滾開，你這骯髒的肥豬！」他大聲說。

不料這隻豬開口說話了，而且他聽到的是安妮的聲音。「這是她的鬼魂，」他心想，「她變成一隻豬回來了！」

「我沒有惡意，亞瑟，」豬說，「我只是出來慢跑，享受一下，我們以前那麼相愛，你怎麼可以打我？」說完，牠轉身慢慢地跑走了。

＊

（你在講這個故事時要用高音調說出豬話。）

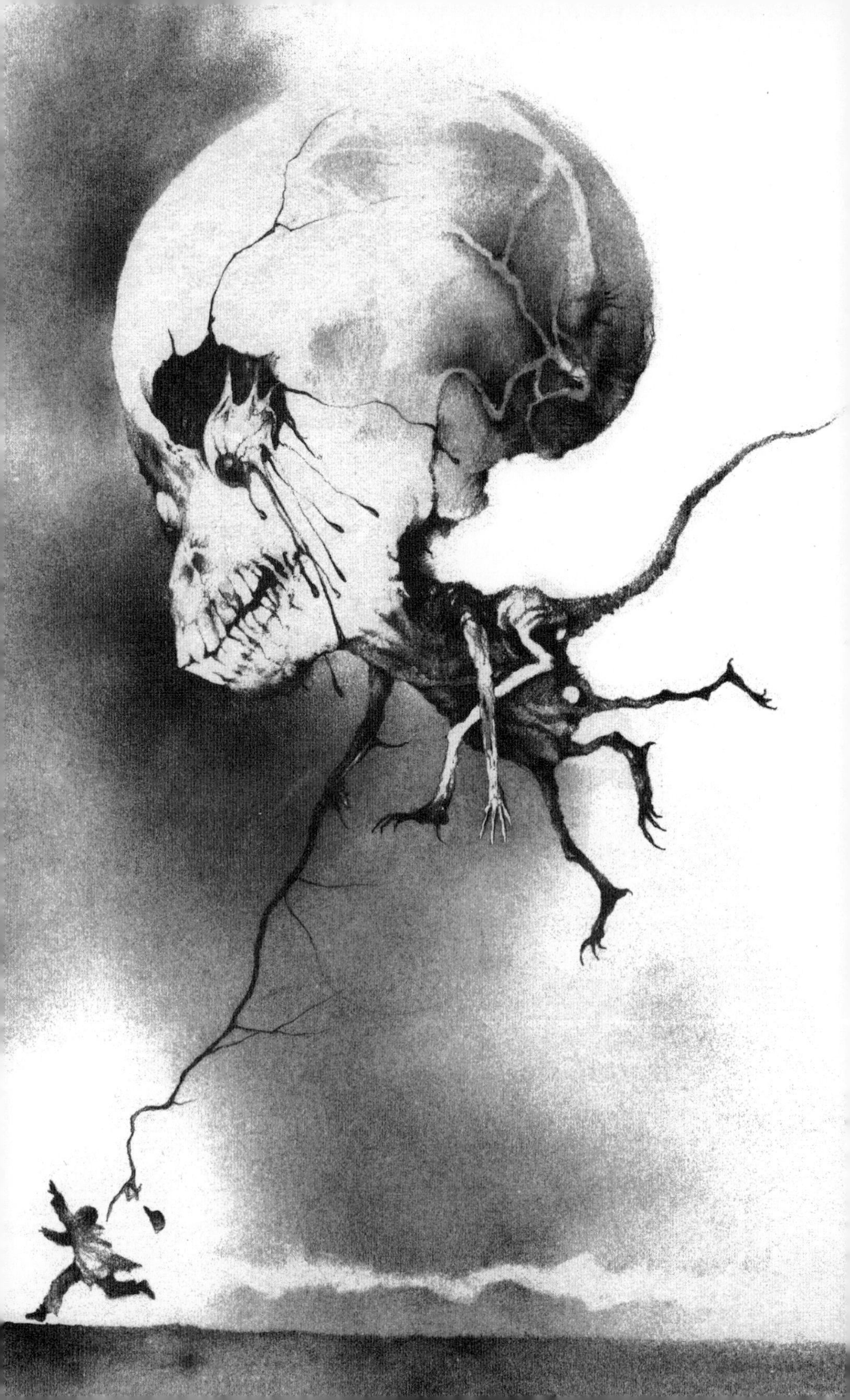

·有什麼不對嗎？·

一輛車深夜開到鄉下偏僻的地方時拋錨了，駕駛記得幾分鐘前曾經過一間空屋。「我在這裡過夜好了，」他心想，「至少睡一下。」

他在客廳角落找到一些木柴，在壁爐生起一堆火，然後將外套披在身上睡覺。天快亮時火熄了，寒氣使他醒來。「天快亮了，」他想，「那時我再去求救。」

他又閉上眼睛，但還沒睡著就聽到一聲巨響。一個巨大、沉重的東西從煙囪內掉下來。它躺在地板上，一會兒後它站起來，注視著他。

那個人看一眼後拔腿就跑。他這輩子從未見過如此可怕的東西。他稍作停頓，為的只是要跳出窗外。然後他又開始跑，跑呀、跑呀，直跑到他的肺快爆炸了。

當他站在路上喘息換一口氣時，忽然覺得有人拍他的肩膀。他回頭一看，發現一顆笑嘻嘻的骷髏頭用兩個血淋淋的大眼睛瞪著他，恐怖極了！

「請問，」它說，「有什麼不對嗎？」

．是他！．

那個女人可能是你見過最兇狠、最卑鄙的人。她的丈夫和她一樣壞。幸好他們單獨住在森林裡，不會驚擾到別人。

有一天他們去砍柴，女人被她的丈夫激怒了，一氣之下抓起斧頭砍下他的腦袋，就這樣。然後，她將他就地埋葬之後回家。

她為自己泡了一杯茶，走到陽台。她坐在她的搖椅上，小口啜著茶，高興地想她做了這件可怕的事。一會兒之後，她聽到一個蒼老、空洞的聲音在遠處呻吟、咕噥，說：

「誰誰誰誰誰誰誰誰來陪我度過這個寒冷寂寞的夜晚啊？」

「是他！」她想，然後她大聲回答：「自己過吧，你這隻老山羊。」

很快的，她又聽到那個聲音，這次近一點。它說：

「誰誰誰誰誰誰誰誰來陪我坐呀，度過這個寒冷寂寞的夜晚？誰誰誰誰誰誰誰誰啊？」

「神經病！」她大聲說，「自己坐吧，你這隻骯髒的老鼠！」

然後她聽到那個聲音更近了，它說：

「誰誰誰誰誰誰誰誰來陪我一起度過這個寒冷寂寞的夜晚？誰誰誰誰誰誰誰誰啊？」

「沒人！」她冷笑，「自己陪自己吧，你這隻卑鄙的鼴鼠！」

她站起來走進屋內，但那個聲音此刻在她背後小聲說：

「誰誰誰誰誰誰誰誰來陪我度過這個寒冷寂寞的夜晚？誰誰誰誰誰誰誰誰啊？」

她還沒來得及回答，一隻毛茸茸的大手從牆角伸出來抓住她，那個聲音大聲說：

「就是你！」

*

（說最後這句話時，你可以抓住你的朋友。）

・ㄉㄩㄝ—ㄉㄩㄝ—ㄉㄩㄝ—ㄉㄩㄝ—ㄉㄩㄝ！・

莎拉上床睡覺時看見一個鬼，它坐在她的梳妝檯，用兩個空洞的眼窩凝視她。她嚇得尖叫，她的母親和父親立刻跑過來。

「我的梳妝檯有個鬼，」她說，簌簌發抖，「它在看我。」

他們把燈打開，它不見了。「妳是作惡夢，」她的父親說，「睡吧。」

可是他們離開後，它又出現了，坐在她的梳妝檯凝視她。她把毯子拉上來蒙著頭，然後睡著了。

隔天晚上那個鬼又來了，這次從天花板上凝視她。莎拉看見它又尖叫，她的父母親又跑過來。

「它在天花板上。」她說。

他們把燈打開，天花板上什麼也沒有。「那是妳的想像。」她的母親說著，給她一個擁抱。

可是等他們離開後，它又出現了，從天花板上凝視她。她用枕頭蓋住頭，然

後睡著了。

再隔天晚上那個鬼又來了，這次坐在她的床上凝視她。莎拉呼叫她的父母，他們趕快跑過來。

「它在我的床上，」她說，「它在看我，一直看我。」

他們把燈打開，床上什麼也沒有。「妳在瞎操心。」她的父親說。他親親她的鼻子，幫她把被子蓋好，「現在乖乖睡吧。」

可是等他們離開後，它又出現了，坐在床上凝視她。

「你為什麼要這樣對我？」莎拉問，「為什麼不放過我？」

那隻鬼將手指放在它的耳朵上扭動它們，然後伸出它的舌頭說：

「ㄌㄩㄝ—ㄌㄩㄝ—ㄌㄩㄝ—ㄌㄩㄝ—ㄌㄩㄝ！」

*

（你可以把舌頭放在你的嘴唇中間，然後吹氣。）

·下一個也許是你……·

當靈柩經過時，你可曾想過，
下一個死的也許是你？
他們用白布把你包起來，
從頭包到腳。
蟲子爬進又爬出，
從你的肚子進去，從你的鼻孔出來，
你的眼珠掉下來，牙齒爛光光……
完美的一天從此結束。

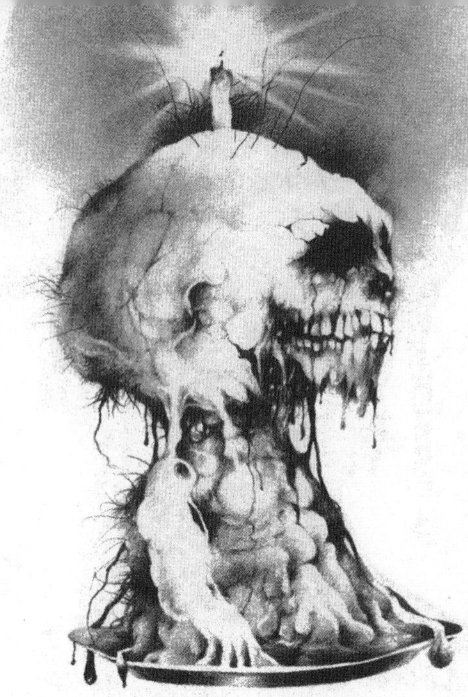

當靈柩經過時，你可曾想過，
下一個死的也許是你？

NOTES *AND* SOURCES

註釋與出處

妖怪

在紐芬蘭，「妖怪」（Boo men）是指想像中的可怕怪物。它和大不列顛的bogarts（因為許多紐芬蘭人來自大不列顛）、美國的bogey men和boogeymen的意思相近。（參考Widdowson, *If You Don't Be Good*, pp.157-60,〈The Bogeyman〉）

許多地方都有女孩在墓園裡遇到鬼的相似故事。

當死神降臨時

〈約會〉：這是一個一再流傳的古老故事，背景通常設在亞洲。一個年輕人在敘利亞首都大馬士革的市場上看見死神，為了逃避他的命運，他躲到巴格達或薩瑪拉，即現今伊拉克的地方。死神當然正在等他。在某些版本中，死神是女性，不是男性。英國作家伊迪絲・華頓（Edith Wharton）、威廉・薩

默塞特．毛姆（W. Somerset Maugham），及法國作家尚．考克多（Jean Cocteau）都曾以不同的形式講述這個故事。美國小說家約翰．奧哈拉（John O'Hara）的處女作《相約薩瑪拉》（*An Appointment in Samarra*）就是以這個故事為書名。（參考：Woolcott, pp. 602-3）

〈公車站〉：這是《消失的便車客》系列作品中一個鬼魂變成人形的故事。它通常在深夜或暴風雨時出現在街道一隅，請求搭便車。但是當駕駛人抵達目的地時，乘客已經消失了。在〈公車站〉這個故事中，鬼魂以人形出現好幾個星期之後才消失。

這個故事有幾個版本，其中一個是芭芭拉．卡默．舒瓦茲（Barbara Carmer Schwartz）回憶一九四〇年代發生在紐約州德爾馬的一個故事。還有一個版本是故事中的年輕人得知那個年輕女子是鬼後就發瘋了。（參考：Jones, *Things That Go Bump in the Night*, pp. 173-74）

古羅馬也有一個相似的故事。一個名叫菲麗妮安的年輕婦女死了，六個月後有人看見她和她生前相愛的男子在一起，但男子並不知道她已去世。當她的父母得知她又出現時，立刻趕去看她。她指責他們干涉她的「生活」，結果她又死了一次。（參考：Collison–Morley, pp. 652-72）

民俗學家詹．布朗凡德（Jan Brunvand）在《消失的便車客》（*The Vanishing*

Hitchhiker）中舉出許多各式各樣的鬼故事。（參考：Vanishing Hitchhiker, pp. 24-40, 41-46）

而且至少有兩首流行歌曲和這個主題有關：一首是一九六〇年代初期由米爾頓・艾丁頓（Milton C. Addington）作曲的流行搖滾歌曲〈Laurie（Strange Things Happen）〉；以及一九六一年由喬・金士頓（Joe Kingston）與史科薩（M. K. Scosa）作曲的藍草音樂歌曲〈Bringing Mary Home〉。本書編寫之際，仍然有人在演唱這兩首歌。

〈越來越快〉：這個故事是重述在一九四〇年代紐約或新罕布夏的一個夏令營流傳的故事。英國作家露絲・L・唐格（Ruth L. Tongue）將她在一九六四年在英格蘭伯克郡蒐集到的一則民間故事印出來，敘述有幾個城市少年在溫莎森林中發現一個古老的狩獵號角，其中一名少年吹了號角，結果召來一群狩獵者的幽靈，少年被其中一個幽靈的鬼箭射殺身亡。（參考：Tongue, p.52）

〈真好吃〉：這是民間故事集《絞架上的男人》（*Man from the Gallows*）中的一個故事（編號366），美國、大不列顛、西歐及非洲與亞洲部分地區都有類似的故事。在英語系國家中最廣為人知的也許是《金臂人》（The Man with the Golden Arm）。（參考：Schwartz, *Tomfoolery*, pp.28-30）

這類故事都可以追溯到古代的一則故事，敘述一個男人因為失去工作導致全家挨餓。他在尋找食物時來到一個絞架旁邊，那裡有個罪犯剛被判絞刑。他挖出死者的心臟（或他身上的某個部分）帶回家，那天晚上他的家人吃了一頓豐盛的晚餐。但是當他們睡著後，絞架上的男人來找他被偷走的器官，當他遍尋不著之後，他把偷他器官的人帶走了。（參考：Tompson, The Folktale, p.42）

〈真好吃〉就是從這個故事衍生出來的。我是根據前些年我在美國東北部聽到的故事改寫的，這些故事最早出現在一九四〇年代。路易・C・瓊斯（Louis C. Jones）印了一本紐約市版本的故事，故事中的丈夫為了自己活命，把他妻子的肝臟割下交給那個鬼，還給它被她偷走的肝臟。（參考：Jones, *Things That Go Bump in the Night*, pp.96-99）

〈哈囉，凱蒂！〉：這個故事來自愛爾蘭芒斯特省西南部的一個傳說。（參考：Curtin, pp.59-60）

〈黑狗〉：這個故事是根據一九二〇年代在法國布雷斯勒昂福雷村發生的一件事而流傳到國外的。當地有一個和這個故事一樣的黑狗幽靈，據說是一個壞人或一個死去的預言家的鬼魂。（參考：Van Paassen, pp.246-50）

〈腳步聲〉：這個故事大致上是根據加拿大民俗學家海倫・克雷頓（Helen Creighton）在新斯科細亞省阿默斯特蒐集到的一則民間故事而編纂的。（參考：Creighton, pp.264-66）

〈像貓的眼睛〉：這個故事是從英國作家奧古斯塔斯・黑爾（Augustus Hare）一個流傳於十九世紀末的故事改編而成。在那個版本中，拉靈柩的是四匹馬。（參考：Hare, pp.49-50）

危險邊緣

〈貝絲〉：這個故事是根據一個古老的歐洲傳說而寫的。瑞士民俗學家麥克斯・路季（Max Lüthi）將故事命名為「奧列格之死」（Oleg's Death）。奧列格是大約兩千年前今天的俄羅斯當地的一個統治者，據說他的死和我們這個故事中的約翰・尼古拉斯如出一轍，是被一條躲在一匹他畏懼的馬的遺骸中的毒蛇咬死的。

這個傳說有許多主題經常在民俗文學之中出現：看似軟弱的可能強大，看似不可能的也許可能，而我們面對的最大危險是來自我們自己。（參考：Lüthi,〈Parallel Themes〉）

〈哈羅德〉：民間傳說和小說中有若干故事敘述一個人造了一個娃娃或其他形狀的假人後，這些假人有了生命。在猶太人的傀儡傳說中，一個拉比施魔咒使一個泥像有了生命。當它失去控制時，拉比將它摧毀了。在英國作家瑪麗・雪萊的小說《科學怪人》中，一個瑞士學生發現如何使沒有生命的東西有生命，結果被他創造的怪物殺了。

在希臘童話《穀粒做的紳士》（〈The Gentleman Made of Groats〉）中，一個公主找不到合適的丈夫，於是她用一公斤杏仁、一公斤糖，和一公斤穀粒，混合捏成一個男人的形狀。她向神禱告，神回應她，賦予這個形體生命。兩人歷經千辛萬苦，終於過著幸福快樂的生活。

〈哈羅德〉這個故事是從奧地利—瑞士的一則傳說新編的故事。（參考：Lüthi, *Once Upon a Time*, pp.83-87）

〈死人的手〉：這個傳說來自十九世紀英格蘭東部林肯郡一個叫林肯夏爾卡

斯的地方，當時這裡是北海邊上一片廣闊的沼澤地，當地居民認為那裡住了許多邪靈。這個故事是從巴爾佛（M. C. Balfour）的故事縮短改編而成（參考：M. C. Balfour, pp.271-78）

〈會有這種事〉：這是一則傳統的美國傳說，敘述一個人相信他被一個女巫折磨，於是想辦法阻止她。在一些故事中，這個人畫了女巫的畫像，然後對著畫像射出銀子彈，或在畫像上釘釘子，試圖藉此殺死她。我改編這個故事，並延伸主題指出，當一個受過教育的人認為事情失去控制時，教育與迷信之間就會產生衝突。（參考：Thompson, 〈Granny Frone〉, *Folk Tales and Legends*, pp. 650-52；Cox, pp. 208-9；Randolph, *Ozark Magic*, pp. 288-90；Yarborough, p. 97）

野化

〈狼女〉：這個傳說來自德州西南部，敘述一個野化的孩子。許多文化中都有相似的故事，其中一部分略說如下。

我第一次聽到這個德州狼女的故事是在一九七五年，當時我在艾爾帕索為另一本書蒐集研究資料。一個八十多歲的退休工人Juan de la Cruz Machuca 將他知道的這個故事內容告訴我。他的版本與柏第里安（L. D. Bertillion）在一九三七年撰寫的一篇與這個歷史事件有關的文章〈The Lobo Girl of Devil's River〉內容部分重疊。（參考：Bertillion, pp. 79-85）我是根據他的口述與那篇文章改編成這個故事。

柏第里安的故事開頭是陷阱獵人丹特在喬治亞州愛上茉莉．博圖爾，後來因故殺死他的夥伴後逃逸。一年後，他回去找茉莉，兩人逃到德州，在魔鬼河畔安頓下來。茉莉生下一個孩子，在傳說中，這個孩子後來成為著名的狼女。

傳說中狼女出沒的地方在魔鬼河與格蘭德河，現今有部分河段已被建成水壩和遊樂區。

嬰兒被狼群撫養長大的傳說中，最古老的一個是羅馬神話中的雙胞胎羅穆路斯與雷穆斯。據說他們的母親將他們放在搖籃裡放入古拉丁區的台伯河中漂走。搖籃被沖到岸邊，兩個男嬰由一隻母狼餵哺，直到一個牧羊人遇到他們並將他們撫養長大。在傳說中，羅穆路斯建立了羅馬，也就是雙胞胎在台伯河獲

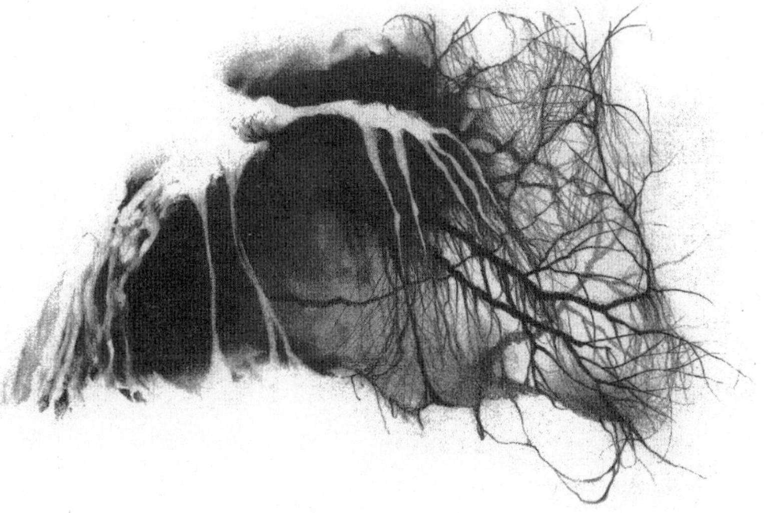

救的地方。

在魯德亞德・吉卜林（Rudyard Kipling）的故事《森林王子》（〈Mowgli's Brothers〉）中，印度有個男嬰走進狼群巢穴中，被牠們撫養長大。（參考：Kipling, pp. 1-43）

在阿肯色州的奧沙克山脈有一則現代的傳說，敘述一對夫妻在玉米田工作時，將他們五個月大的男嬰放在地上，結果男嬰失蹤了。幾年後，有人或者動物開始偷竊他們農場上的雞，但這對夫妻無法制止偷竊行為。一天晚上，這個丈夫看見一個全裸的男孩在追捕一隻雞，他跟蹤男孩到一處巢穴，發現男孩和一隻生病的母狼在一起，母狼正在吃那隻雞。男孩像狼一樣對農夫發出狼嚎，但農夫終於還是把他帶走了。他當然就是農夫失蹤的兒子。（參考：Parler, p. 4）

還有一些故事敘述幼兒被父母拋棄，或走失，或流浪到他方之後變成野孩子。其中一個真實的野孩子故事發生在法國南部阿維宏省，他在一七九五年至一八〇〇年獨自一個人在法國南部的荒野地區生活，後被捕獲。（參考：Shattuck）

加州也有兩起這類傳說。其中之一是一九〇〇年代初期，一艘帆船遇到海難後，有一個兩歲的小女孩被海浪沖到聖塔芭芭拉外海的一座島嶼上。幾年後，一群獵捕野山羊的人在那個島上遇見一名年輕女性像山羊一樣跳著逃走了。他們發現她躲在一個洞穴內，裡面有許多被她吃掉的動物骨頭。故事傳開時，他們把她帶回美國本土，後來確認是那個海難失蹤的女孩。沒有資料顯示她後來結果如何。（參考：Fife, p. 150）

另一則傳說是一個美國原住民女孩在她的族人於一八三五年放棄距離聖塔芭芭拉七十哩的聖尼古拉斯島時被留在當地。據說她也是獨自一個人生活了十八年後才獲救。史考特·奧德爾（Scott O'Dell）的小說《藍色海豚島》就是根據這個故事而寫的。（參考：Ellison, pp. 36-38, 77-89；O'Dell）

五個惡夢

〈夢境〉：有些夢會成真是因為它們符合邏輯，如舒瓦茲的《算命》（*Telling Fortunes*, pp. 57-64）。但這個夢是一個謎。這個故事是根據奧古斯塔斯·黑爾在他的自傳中提到的一段經歷（p. 302）而寫成的。

〈山姆的新寵物〉：一九八七年我在奧勒岡州的波特蘭聽到這個故事，這是那段時期流傳的許多版本中的一個。民俗學家詹·布朗凡德在他彙集的現代傳說中就有一本書的書名叫《墨西哥寵物》（*The Mexican Pet*），將一九八四年來自加州新港灘的一個不同版本及其他版本重新翻版。（參考：pp. 21-23）

民俗學者蓋瑞・艾倫・范恩（Gary Alan Fine）指出，這個傳說反映出對非法入境美國、與美國人競爭工作機會的墨西哥工人的不滿。那隻事實上是老鼠的寵物代表墨西哥人。他並引述法國以來自非洲與近東的勞工為本而流傳的一則相似的傳說。（參考：Fine, pp. 158-159）

〈也許妳會想起來〉：這個故事的結局如何？

蘿絲瑪麗的母親出了什麼事？

當旅館醫生看到吉布斯太太時，他立即知道她快死了。她染上了瘟疫，那是一種可怕的疾病，會迅速死亡，並引發可怕的流行病。

如果一名婦人在巴黎的心臟地區死於瘟疫這件事傳揚開來，必定會造成大恐慌，旅館和其他地區的人都會爭先恐後逃逸。醫生知道旅館老闆的想法，他要守住這個秘密，否則他們會損失慘重。

為了把蘿絲瑪麗支開，醫生派她去巴黎另一區拿一些無關緊要的藥。一如他的預測，蘿絲瑪麗離開後不久，吉布斯太太就去世了。她的屍體被偷偷運出旅館，葬在一座墓園內。一組工人迅速重新油漆房間，並置換裡面所有的東西。

櫃檯職員奉命告訴蘿絲瑪麗她找錯了旅館。當她堅持看她的房間時，房間已完全變了樣，當然，她的母親也消失了。涉及此事的人都被警告，如果他們洩漏秘

密，他們將失去工作。

為了避免在巴黎引起恐慌，警方與報社也同意絕口不提這起死亡事件。警察局沒有檔案紀錄；報紙也沒有新聞報導，彷彿蘿絲瑪麗的母親和那個房間不曾存在過。

在這個故事的另一個版本中，蘿絲瑪麗和她的母親各住一個房間。吉布斯太太在蘿絲瑪麗睡覺時去世了，她的遺體被搬走，她的房間被重新油漆與裝潢，當蘿絲瑪麗第二天早上找不到她母親時，她被告知她的母親並沒有和她一起登記住進旅館。

經過好幾個月的搜尋，一個朋友，或一個親戚，或蘿絲瑪麗本人終於找到一個在那間旅館工作的人，然後在收受賄賂之下，這個人才透露事情的真相。

這個傳說曾被拍成電影《逆旅驚魂》（*So Long at the Fair*），一九五〇年上映。這個故事同時也成為兩本小說的靈感來源，其中一本最早在一九一三年發行，但故事本身比那更老。作者亞歷山大．伍爾考特（Alexander Woollcott）發現它是一則真實故事，一九一一年英格蘭的《倫敦每日郵報》和一八八九年美國的《底特律自由新聞》都曾經報導過。它後來成為美國與歐洲家喻戶曉的故事。（參考：Woollcott, pp. 87-94；Briggs and Tongue, p. 98；Burnham, pp. 94-95）

〈紅點〉：這個傳說在美國和大不列顛都有若干版本。蜘蛛實際上是將卵產在牠們吐絲織成的繭或卵囊中，並放置在隱蔽的地方。民俗學家布朗凡德表示，這

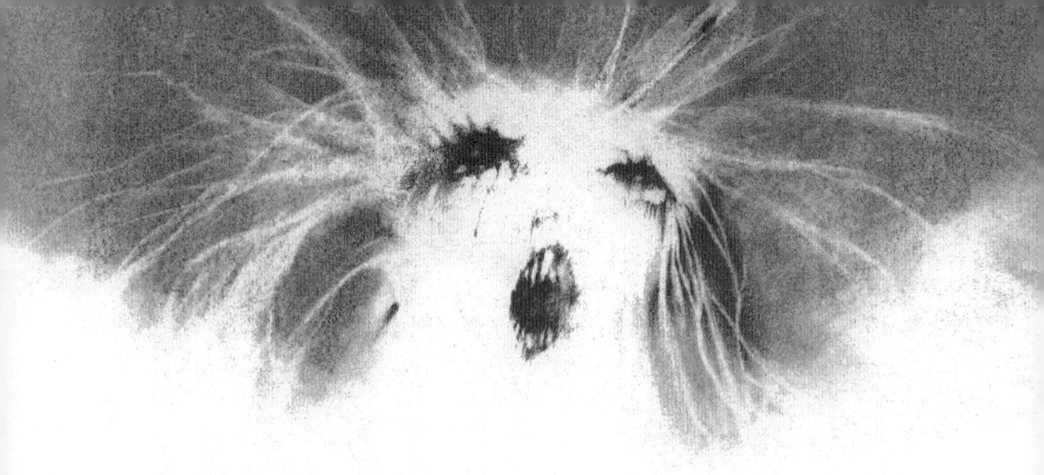

類故事起源於一般人對我們的身體可能會被這種生物入侵的恐懼。（參考：Brunvand, *The Mexican Pet*, pp. 76-77）

〈不，謝了〉：這個故事大致上是根據一九八三年三月二日《紐約時報》的一則報導（p. C2）而寫的。

這是怎麼回事？

〈麻煩〉：如同這個故事，當怪事莫名其妙發生時，許多人會懷疑是否一種叫搗蛋鬼的鬼魂在惡作劇。搗蛋鬼惡作劇的鬼故事在我們民間已流傳數百年，據說這些搗蛋鬼會使物體飛到空中，使家具跳舞，把床單和毛毯從床上掀起來，發出拍擊聲、呻吟聲和其他惡作劇。

一八八一年，德州西思科一座牧場發生一些怪現象，某個東西或某個人亂丟石頭，上鎖的門不用鑰匙會自動打開，從天花板的裂縫塞進生雞蛋，還會像貓一樣喵喵叫。和〈麻煩〉故事中一樣，人們檢查每一個地方和每一個人，有時會發現是有人在惡作劇，但許多怪現象都無法提出解釋，只能說是搗蛋鬼的傑作。（參考：

Lawson 與Porter）

超心理學家，例如這個故事中的兩位專家，認為這種現象可能是人的念力（意志力）造成的，但他們自己並不知道。「以心移物」（PK）是其中一種力量，另一種是「超感官知覺」（ESP）。

〈麻煩〉是根據《紐約時報》、《生活》雜誌，和其他出版品的報導而寫的。（想多了解搗蛋鬼的故事和相關研究，請參考：Carrington 與Fodor, Creighton, Haynes, Hole, 及Rogo）

誰誰誰誰誰誰誰誰？

〈陌生人〉：這篇簡短的故事在美國和英國境內流傳，故事有許多種背景，包括蘿蔔田和博物館。

〈豬〉：據說鬼會化成許多形體出現，如動物——在我們這個故事中就化成一隻豬；火球和其他光線；活人；以及幽靈。當然，有些鬼是隱形的，只有從它們的行動和聲音才知道它們的存在。

這個婦女死後變成豬回到人間的故事，是根據加拿大愛德華島流傳的一則鬼故事改編引申的。（參考：Creighton, p. 206）

〈有什麼不對嗎？〉：這個故事是根據瓊斯筆下一個非洲裔美國人的鬼故事《紐約的鬼》（〈The Ghosts of New York〉, p. 240），加以引申寫成的。它敘述一個遇到可怕怪物的惡作劇，故事中的怪物是一個逃亡在外的精神病患兇手，當他趕上那個逃命的人時，他會大聲說：「抓到了，你這個壞蛋！」（參考：Schwartz, *Tomfoolery*, p. 93, p. 116）

〈是他！〉：這是《絞架上的男人》系列故事中的一個版本，由兩個故事改編而成。一個故事來自肯塔基州的坎伯蘭加普區（參考：Roberts, pp. 32-33）；另一個取自賓州大學的民間故事檔案。這些故事是艾摩瑞．漢彌爾頓（Emory L. Hamilton）於一九四〇年在維吉尼亞州懷斯郡從艾塔．基爾戈（Etta Kilgore）那裡蒐集到的。（參考：《真好吃》故事註釋）

〈ㄌㄩㄝ—ㄌㄩㄝ—ㄌㄩㄝ—ㄌㄩㄝ—ㄌㄩㄝ！〉：這個故事是從小孩子開的玩笑中再擴大編寫的。

〈下一個也許是你……〉：這首著名的輓歌來自從麻州大學蒐集到的民間故事，是由麻州克里夫蘭的蘇珊．楊在一九七二年提供的。它有別於傳統輓歌和它的背景。（參考：Schwartz, *Scary Stories to Tell in the Dark*, p. 39, pp. 94-95）

致謝

我要謝謝許多要求看到這第三本恐怖故事的男孩和女孩，希望他們會喜歡。我還要感謝跟我分享這些故事的人。感謝奧羅諾的緬因大學、賓州大學、普林斯頓大學的圖書館員與民俗檔案室管理員對我的研究給予諸多協助。感謝國會圖書館的約瑟夫．希克森協助確認與〈消失的便車客〉有關的流行音樂。我更要感謝我的妻子兼同事芭芭拉．卡默．史瓦茲所做的許多許多貢獻。

亞文．史瓦茲

國家圖書館出版品預行編目資料

在黑暗中說的鬼故事III/亞文・史瓦茲編撰、史蒂芬・格梅爾插畫；林靜華譯. -- 初版. -- 臺北市：皇冠, 2019.08
面；　公分. -- (皇冠叢書；第4784種)(CHOICE; 327)
譯自：SCARY STORIES 3: More Tales to Chill Your Bones
ISBN 978-957-33-3464-4

874.57　　　　108011051

皇冠叢書第4784種

CHOICE 327

在黑暗中說的鬼故事III

SCARY STORIES 3: More Tales to Chill Your Bones

編　撰—亞文・史瓦茲
插　畫—史蒂芬・格梅爾
譯　者—林靜華
發 行 人—平雲
出版發行—皇冠文化出版有限公司
台北市敦化北路120巷50號
電話◎02-27168888
郵撥帳號◎15261516號
皇冠出版社(香港)有限公司
香港上環文咸東街50號寶恒商業中心
23樓2301-3室
電話◎2529-1778 傳真◎2527-0904
總 編 輯—龔橞甄
責任主編—許婷婷
責任編輯—張懿祥
美術設計—王瓊瑤
著作完成日期—1991年
初版一刷日期—2019年8月
初版二刷日期—2019年8月
法律顧問—王惠光律師

讀者服務傳真專線◎02-27150507
電腦編號◎375327
ISBN◎978-957-33-3464-4
Printed in Taiwan
本書定價◎新台幣220元/港幣73元